D1245100

FIGURINES DE MODA
TÉCNICAS Y ESTILOS

ESPACIO DE DISEÑO

Diseño de cubierta
Portada:

Figurín principal: Antonio Enríquez
Detalle facial: Moisés quesada
Vestido noche en negro zombie: Lara Wolf
Pequeños figurines boceto: Mengjie Di

Contra:

Vestido de noche vista de espaldas: Mengjie Di
Boceto croquis blanco: Lara Wolf
Figurín vestido coctail rosa: Hayden Williams
Figurines hombre: John Puddephatt
Colección 10 figurines digitales: Will Ev

Diseño de maqueta y maquetación: Celia Antón Santos

Juan Ignacio Luca de Tena, 15. 28027 Madrid
Depósito legal: M-6019-2014
ISBN: 978-84-415-3464-3
Printed in Spain

FIGURINES DE MODA

TÉCNICAS Y ESTILOS

ANNA MARÍA LÓPEZ LÓPEZ

DEDICATORIA

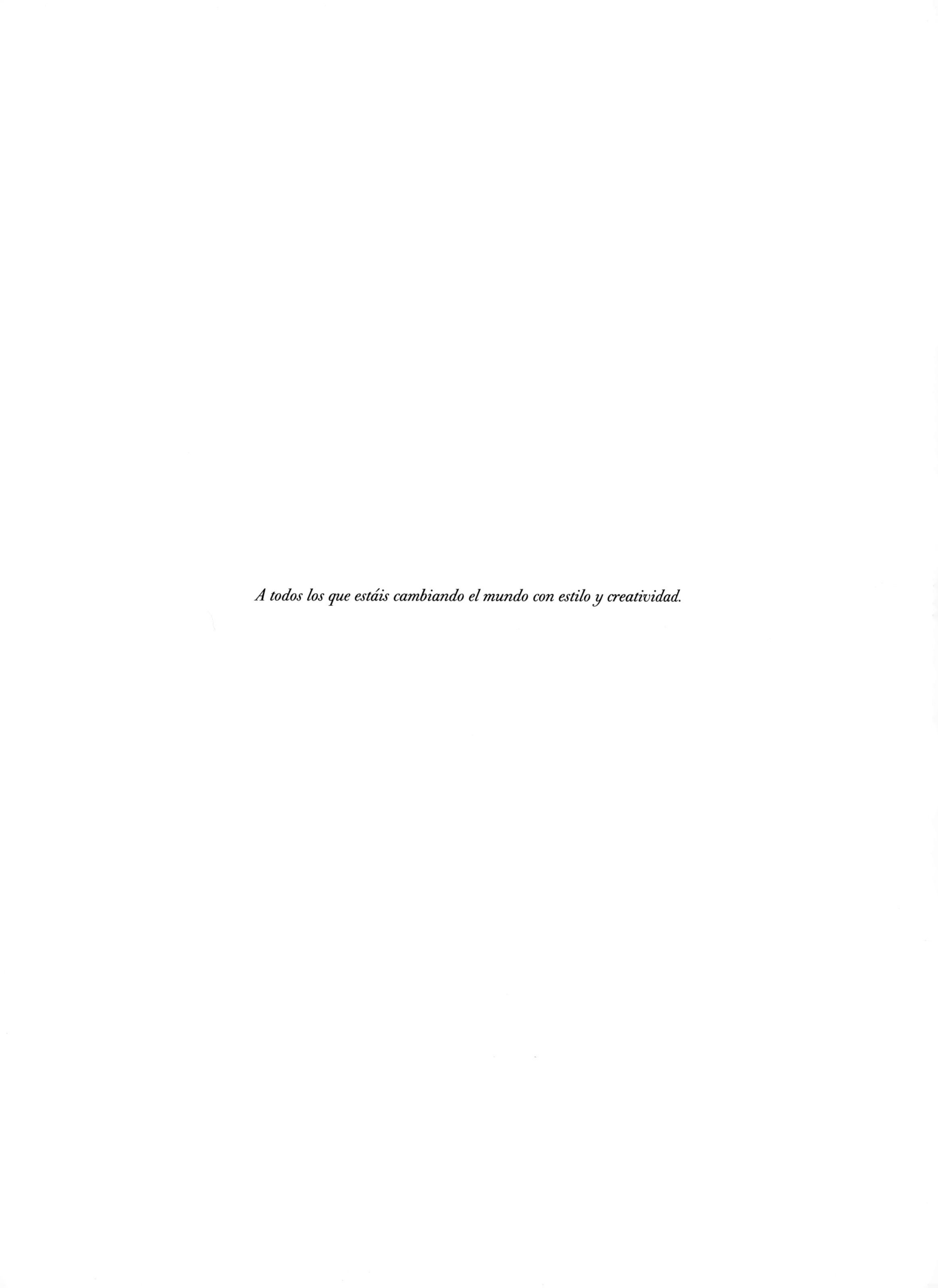

A todos los que estáis cambiando el mundo con estilo y creatividad.

AGRADECIMIENTOS

Muy pocos proyectos te brindan la oportunidad de trabajar con un equipo de colaboradores repartidos por todo el mundo. El libro que tiene ahora mismo en sus manos es uno de esos proyectos globales que nunca hubiera sido posible sin el apoyo y colaboración de las siguientes personas, por lo que me gustaría decir:

MUCHAS GRACIAS / THANK YOU

A Eugenio Tuya ***@eugeniotuya***, Editor Senior de ANAYA, por su entusiasmo con este proyecto y por hacerme regresar a mis orígenes en el mundo de moda.

A Natalia Acosta del equipo de ANAYA Multimedia por su estupendo trabajo de revisión de este libro y por sus comentarios, siempre oportunos y apreciados.

A Celia Antón, Directora creativa en Anaya Multimedia por su buen hacer con la compleja maquetación de este libro.

A Arturo Elena (Zaragoza), por hacerme un hueco en su apretada agenda y compartir su experiencia profesional en las páginas de este libro, demostrando que detrás de un enorme talento siempre hay una gran persona.

A Danielle Meder de **FinalFashion** Canadá, por facilitarme todos los archivos digitales de sus figurines, *runway sketches* y concederme la entrevista aunque fuese en el aeropuerto de camino a Nueva York.

A Hayden Williams por su amable colaboración enviando su entrevista y sus conocidos figurines desde su estudio en Londres.

Al Dept. de Prensa de **GIVENCHY**, por permitirme el acceso a los figurines de Ricardo Tisci.

A Moisés Quesada (República Dominicana), por su cordialidad y por el tiempo dedicado a recopilar sus figurines e ilustraciones, al final no fue posible incluir todo lo que nos gustaría en el libro por temas de espacio, pero agradezco tu buena disposición.

A John Puddephat y Andrea Trapani de **JAA Design**, Londres, por demostrar que detrás de un reconocido y valorado estudio de diseño siempre hay un gran equipo profesional y humano.

A Sunny Gu (Los Ángeles, California) por ser el ejemplo perfecto de virtuosismo con el pincel y gestionar su colaboración en el libro siempre con una sonrisa.

A Will Ev (Malasia) por su increíble dominio de los vectores y por su generosa aportación gráfica a este libro.

A Bruce Hunter (Los Ángeles, California) por ser tan amable y demostrar que su buen hacer es atemporal.

A Lara Wolf (Georgia), por ser tan buena profesional de la enseñanza en diseño de moda y ceder sus figurines de ejemplo para este libro.

A Mengjie Di (Nueva York) porque su enorme talento unido a la mejor disposición para colaborar con este proyecto la convierten en una "favorita".

Al estudio de diseño **Revolution** (Brasil) por su colaboración con su campaña gráfica *You are not a sketch.*

A Yoyo Han (Georgia) por su amable disposición y colaboración con varios figurines.

Jorge Noa y Pedro Balmaseda desde Miami, por su amable colaboración con sus figurines de vestuario.

A Naomi Schultz de **Inkbramble** por colaborar de tan buen grado desde mi querida California.

A Cynthia Smith (Argentina) gran profesional de los figurines de moda digitales, por volver a colaborar conmigo en este otro libro dedicado a la moda.

Grace Koh (Nueva York) por sus amables palabras y estar tan dispuesta a colaborar en este proyecto.

A Andreea-Laura Muntean (Rumanía) por colaborar con su creatividad en varias páginas de este libro demostrando que no hay fronteras cuando se habla un mismo idioma gráfico.

A Olga Semchenko (Polonia) por colaborar con sus estupendos figurines.

A Wen Wang (Philadelphia) por su amable gestión y su colaboración tan profesional.

A Antonova Sasha (Rusia), más conocida como Sashiiko-Anti por colaborar de forma tan cordial con sus geniales figurines estilizados.

A Joseph Larkowsky (Londres) por su atenta disposición y amabilidad para gestionar toda su participación en el libro.

A Nahrin Sarkisova por su creativa aportación desde Los Ángeles, California.

A Candace Napier (Nueva York) por participar de forma tan abierta y cordial con este proyecto.

A Anmom (Bangkok, Thailandia) por ser encantador y demostrar que el verdadero talento traspasa fronteras con gran facilidad.

A Anna Miminoshvili (Rusia) por su amable disponibilidad total.

Mei Zhen Xu (Londres) por su asombroso dominio del lápiz, acorde con su generosidad y humildad.

A Velwyn Yossy (Los Ángeles, California) por ser tan amable en todo momento y facilitarme el material gráfico que necesitaba.

A Rebeca Losada (Galicia) por colaborar tan amablemente enviando sus originales ilustraciones.

A Brenna Stuart (Atlanta) por su amable disposición y colaboración.

A Mario Mimoso por su colaboración demostrando que todo está curiosamente "conectado".

A Kristen Jia (jiiakuann) por enviar su participación de forma tan profesional y eficaz desde China.

A Claire Thompson (Nueva York) por su amabilidad y agilidad gestionando el envío de sus figurines de alta costura y novias.

A Baiba Ladiga (China) por colaborar con su creatividad en varias páginas de este libro demostrando que entre creativos no existen fronteras.

A Hisako Hirouchi (Nueva York) por su atenta disposición a la hora de enviar sus figurines digitales y fichas técnicas.

A Ayelén Pellegrino (Argentina) por su amabilidad y por aportar su completa ficha técnica con figurines digitales.

A Delphine Joubert, *International Business Coordinator* en **C-DESIGN®**, Paris, por su amable gestión para incorporar en las páginas de este libro los figurines digitales de **C-Design Fashion**.

A Jennifer Nichol de **Corel Corporation** Canadá por hacer todas las gestiones para patrocinar el *Concurso CIIMF* y a Natalia López-Beswick de **Adobe Systems Ibérica** por facilitarme toda la información requerida referente a su gama de software gráfico.

A Gabriela Bauer del Dept. de Innovación de la empresa **Audaces**, Brasil por propocionarme toda la información sobre su gama de software para el diseño de moda y enviarnos sus figurines técnicos para publicar en este libro.

A todos y cada uno de los participantes en el Concurso *Internacional de Ilustración de Moda y Figurines*, quienes lograron con su talento que la convocatoria fuese un éxito .

Al lector que lee ahora mismo estas líneas, gracias por leer este libro, sin lectores los libros no existirían!

También me gustaría darle las GRACIAS de forma más personal a:

A Beth Ireland y Shirley por facilitarme la vida en Boston, Massachusetts y permitirme concentrar en la escritura de este libro.

A Jenn Moller por nuestras largas conversaciones sobre las nuevas técnicas de diseño en pleno Harvard, Boston.

A Stevie Degroff por dejarme total libertad de movimiento en una casa victoriana en Cambridge, donde precisamente se escribieron las páginas sobre la historia del figurín.

A Stephanie Pryor por el gran momento de inspiración que viví en Philadelphia.

A Kelly White por enviarme sus *good vibes & blessings* desde Baltimore.

A Ana López, por sus ánimos y por recordarme los viejos tiempos en "**Fashion**".

A Tesi Pena y Fernando Arribas, por seguir ahí y tentarme para mi "salida oficial del búnker"

A Francisca López porque siempre pasa algo bueno después de la "hibernación".

A Celsa López Liz, por ser la auténtica responsable de mis inicios en el mundo de la moda, sin ella este libro jamás existiría.

A Celsa López por apoyarme siempre de la forma más incondicional y respaldarme en todos los sentidos,

A Khalil and Jithu por ser mis más fieles y atentos seguidores.

A Fashionmas por ser el verdadero origen de todo esto.

A Miñao por ser mi lugar en el mundo.

ÍNDICE

DEDICATORIA 7
AGRADECIMIENTOS 8
INTRODUCCIÓN 16
CAPÍTULO 1. ORÍGENES DEL FIGURÍN 20
Tipología del figurín 22
EL FIGURÍN PARA EL DISEÑO DE MODA 22
EL FIGURÍN PARA REPRESENTAR MODA 22
Antecedentes históricos del figurín 23
INVESTIGACIÓN ON-LINE DEL FIGURÍN HISTÓRICO 24
FIGURINES EN LAS PRIMERAS REVISTAS DE MODA 24
EL ORIGEN DEL CÓDIGO GRÁFICO DEL FIGURINISMO 26
EL FIGURÍN ESTEREOTIPADO 26
EL FIGURÍN DE ARTISTA 28
FIGURINES ILUSTRADOS Y COLABORACIONES HISTÓRICAS 29
ESTUDIOS DE ILUSTRACIÓN DE FIGURINES 30
FIGURINES DE VESTUARIO 31
FIGURINES PARA CELEBRIDADES Y ESPECTÁCULOS 32
FIGURINES CONTEMPORÁNEOS EN REPORTES DE TENDENCIAS 33
CAPÍTULO 2. EL FIGURINISTA E ILUSTRADOR DE MODA 34
Perfiles profesionales 36
El ilustrador de moda profesional 36
Figurines e ilustración de moda editorial 36
Opinión experta: Arturo Elena, ilustrador de moda 37
Live runway sketching 54
OPINIÓN EXPERTA: DANIELLE MEDER, ILUSTRACIÓN EN VIVO EN PASARELA 54
Figurines e ilustración de tendencias 64
Opinión experta: JAA DESIGN para WGSN 66
Portfolio y promoción on-line 79
CAPÍTULO 3. DIBUJO DEL FIGURÍN 80
El canon de proporción 82
CANON GRIEGO MODIFICADO 83
TRANSFORMACIÓN DE LA FIGURA HUMANA EN FIGURÍN 83
EL SKETCHBOOK 86
ANÁLISIS DE PROPORCIÓN 89
EL FIGURÍN SINTETIZADO 93
RUPTURA DE ESTEREOTIPOS 93
Personalización del figurín 95
DETALLES CORPORALES 97
DETALLES FACIALES 99
PEINADOS Y TOCADOS 103
RASGOS ATÍPICOS 108
Poses del figurín 111
CAPTURA ESQUEMÁTICA DE POSES 112
LA POSTURA ADECUADA 113
EL FIGURÍN ADAPTADO A LA PRENDA 116
POSES ORIGINALES 117
FIGURINES INSPIRADOS EN SUPERMODELOS 121
CAPÍTULO 4. EL COLOR EN EL FIGURÍNI 122
Técnicas y herramientas de coloreado 124
EL LÁPIZ 126
FIGURINES MONOCOLOR 126

FIGURINES A COLOR 130

TÉCNICAS DE COLOREADO EN EL DIBUJO DE FIGURINES 131

LÁPICES DE COLORES 131

ROTULADORES 134

ACUARELA 138

TÉCNICA MIXTA 141

Técnicas de coloreado digital 143

PROGRAMAS DE TRATAMIENTO DIGITAL DE IMÁGENES 143

OPTIMIZACIÓN DEL FIGURÍN PARA SU ESCANEADO 144

COLOREANDO ÁREAS CON MÁSCARAS 145

TRATAMIENTO INFORMÁTICO DEL COLOR 146

CAPÍTULO 5. EL FIGURÍN DE HOMBRE 150

Dibujo del figurín masculino 152

CLAVES DIFERENCIADORAS 154

DETALLES FACIALES Y CORPORALES 157

PEINADO Y COMPLEMENTOS 159

POSES DEL FIGURÍN 162

CAPÍTULO 6. EL FIGURÍN ESTILIZADO 166

Estilización del figurín para alta costura y novia 169

EL FIGURÍN EXCLUSIVO PARA ALTA COSTURA 172

EL FIGURÍN ARTÍSTICO 174

POSES DEL FIGURÍN NUPCIAL Y DE ALTA COSTURA 176

LA POSE PERFECTA 178

Opinión experta: Hayden Williams diseñador de moda 179

CAPÍTULO 7. TÉCNICAS DIGITALES DE CREACIÓN DE FIGURINES 188

El diseño de moda asistido por ordenador 190

EQUIPAMIENTO INFORMÁTICO NECESARIO PARA CAFD 191

EL SOFTWARE PARA EL DIBUJO DE FIGURINES 191

PROGRAMAS ESPECIALIZADOS DE DISEÑO DE MODA 192

FIGURINES EN 3D 194

PROGRAMAS DE DISEÑO ESTÁNDAR UTILIZADOS EN EL DISEÑO DE MODA 195

El figurín digital y sus formatos 196

LOS GRÁFICOS VECTORIALES 197

LAS IMÁGENES DE MAPA DE BITS 200

¿FIGURINES VECTORIALES O BITMAP? 201

Figurines en fichas técnicas 204

VECTORIZACIÓN DE FIGURINES 208

FIGURINES DIGITALES Y PLANTILLAS PROFESIONALES PREDISEÑADAS 210

FIGURINES DIGITALES DE C-DESIGN FASHION® 210

El figurín técnico 218

LAS EDADES DEL FIGURÍN TÉCNICO 220

EL FIGURÍN DE BEBÉ Y NIÑO PEQUEÑO 221

EL FIGURÍN INFANTIL 222

EL FIGURÍN DE HOMBRE Y MUJER ADULTOS 223

CAPÍTULO 8. GALERÍA 224

El Concurso Internacional de Ilustración de Moda y Figurines 226

Ganadores del Concurso Internacional de Ilustración de Moda y Figurines 227

ANTONIO ENRÍQUEZ (ESPAÑA) 228
EDUARDO RODRÍGUEZ MELIÁ (CUBA) 233
JAVIER GARRIDO (ESPAÑA) 236

Finalistas del Concurso Internacional de Ilustración de Moda y Figurines 239

ALESSANDRA DASSO (CHILE) 240
ÁLVARO RUIZ (COLOMBIA) 241
ANA HERRERA (ESPAÑA) 242
ANA JARÉN (ESPAÑA) 243
ANGÉLICA GARCÍA (PERÚ) 244
AUGUSTO GRACIANO (ARGENTINA) 246
CARMEN ZAMORA (ESPAÑA) 247
CHRISTIAN RIOS (COLOMBIA) 248
CLARA GOSÁLVEZ (ESPAÑA) 250
CONSTANZA COHSÉ (CHILE) 252
CRISTINA ALONSO (ESPAÑA) 252
DIA PACHECO (MÉXICO) 254
ESTEBAN GARCÍA (COLOMBIA) 254
FANY DÍAZ (ESPAÑA) 256
GUILLERMO LUGO (MÉXICO) 257
HORACIO REYNOSO (ARGENTINA) 258
IRENE FERNÁNDEZ (ESPAÑA) 259
JEYZAR DAGAM (ESPAÑA) 260
JOSÉ MOLINA (ESPAÑA) 260
LAURA LAPARRA (ESPAÑA) 262
Mª JOSÉ MARTÍNEZ (ESPAÑA) 263
MARIANA NAZARETH ROJAS (MÉXICO) 264
MERCEDES GALÁN (ESPAÑA) 264
MIGUEL ALEJANDRO ROSALES (EL SALVADOR AC) 266
REGINA VICENTE (ESPAÑA) 266
ROCÍO VERGERIO (ARGENTINA) 268
ROXANA JAQUE (ARGENTINA) 268
SANDRA CORONADO – ANDRA CORA (ESPAÑA) 270
SUSANA GÓMEZ (ESPAÑA) 271
TOMYA MATEO (ALEMANIA) 272

INTRODUCCIÓN

La moda es el fiel reflejo de los tiempos que vivimos, evoluciona y se transforma a la vez que la humanidad.

Desde los orígenes de la moda el figurín, o la encarnación dibujada de la figura humana a escala, ha servido como base para representar gráficamente ideas y previsualizar futuras prendas de vestir en el diseño de moda y de vestuario.

Existen numerosas publicaciones dedicadas al mundo de la moda en sus distintas variantes artísticas o técnicas: la fotografía de moda, la ilustración, el dibujo técnico, etc., pero en este libro hemos querido cederle todo el protagonismo al figurín, prestándole, toda la atención que se merece. No en vano los figurines de moda han estado ahí, prácticamente desde que la moda es moda, siendo testigos silenciosos de los momentos de inspiración de innumerables diseñadores, sirviendo de abnegado soporte gráfico de infinitas creaciones.

En los últimos años los figurines, al igual que las ilustraciones de moda, están volviendo con fuerza a las páginas de revistas y editoriales de moda, recuperando el esplendor perdido hace unas décadas, lo que ha generado una amplia demanda de profesionales cualificados.

Inicialmente el dibujo de figurines se realizaba de forma artesanal, condicionado por los estilos y técnicas de ilustración de la época, evolucionando considerablemente desde mediados del siglo XIX hasta la era digital. A lo largo de su historia el figurín ha llegado a ser considerado desde un simple instrumento de dibujo hasta una obra de arte gráfico, incluso grandes diseñadores, son recordados por alguno de sus figurines o bocetos antes que por sus prendas confeccionadas.

En la actualidad, el vertiginoso ritmo de la moda ha transformado la creación de figurines, para adaptarla a los tiempos y ciclos de producción de moda. El figurín de moda actual, además de tener que representar mejor que nunca el estilo particular y la personalidad de un diseñador o figurinista, debe también ser práctico y versátil, facilitando en gran medida la interpretación de las prendas de vestir que muestra y su reutilización para futuros diseños.

Con una confección de prendas descentralizada e internacional, es prioritario facilitar la interpretación correcta de los diseños de moda, los figurines hablan el idioma universal por excelencia, el idioma visual. Es por ello que resulta de vital importancia la utilización de figurines de moda actualizados, creados mediante las últimas técnicas de diseño por ordenador y optimizados para su difusión y distribución a través de medios digitales.

Este libro trata de mostrar de forma muy visual, sencilla y totalmente actualizada, las técnicas más utilizadas para la creación de figurines, los diferentes estilos de figurín y los perfiles profesionales especializados en el dibujo del figurín de moda.

Los primeros capítulos de este libro están dedicados a conocer los orígenes del figurín y la labor desarrollada por figurinistas profesionales: cómo trabajan, qué técnicas utilizan, etc. En capítulos posteriores se analiza a través de una cuidada selección de ejemplos, el proceso de dibujo del figurín o la aplicación de color. El figurín de hombre y el elegante figurín estilizado también tienen su capítulo específico.

Finalmente se aborda el tema de los nuevos medios de creación de figurines, las técnicas de diseño de moda por ordenador, los tipos de figurín digital y el menos atractivo, pero imprescindible en la industria, figurín técnico.

Como valor añadido, en las últimas páginas encontrará los diseños ganadores y finalistas del *Concurso Internacional de Ilustración de Moda y Figurines*, una inspiradora muestra del talento creativo más actual.

En resumen, este libro muestra las posibilidades creativas que ofrece el figurín de moda, desde el punto de vista profesional, ofreciendo una visión global del figurín contemporáneo a través de una muy variada selección de ejemplos creados por diseñadores e ilustradores de moda de todo el mundo.

FASHION WALK of FAME

DONNA KARAN

Successful and independent-minded women are Karan's inspiration. She is credited with providing comfortable, practical and decidedly elegant clothes for the burgeoning professional woman who came to prominence in the 1980s. Using rich fabrics and her concept of "seven easy pieces," Karan broke the trend of the masculine corporate uniform. Her ensembles strike a perfect balance of serious professionalism and sensual individualism.

2001

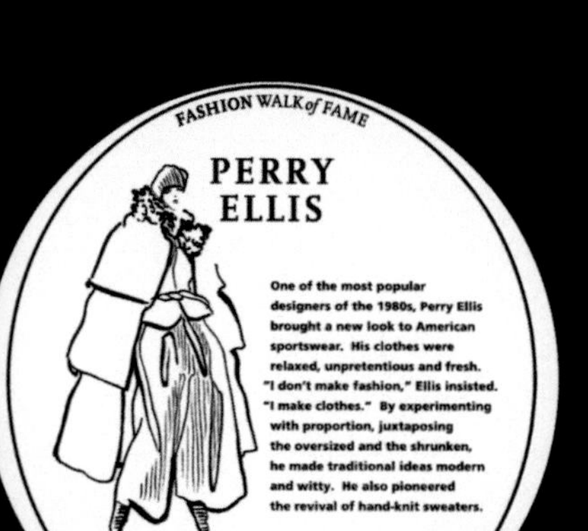

En Hollywood, Los Ángeles rinden homenaje a las estrellas de cine más reconocidas en su famoso **Paseo de la Fama** o *Hollywood Walk of Fame*. En Manhattan, Nueva York, también hay un paseo de la fama conocido como *The Fashion Walk of Fame* que homenajea a las estrellas del mundo de la moda a lo largo de las calles del Garment District. Grandes diseñadores de moda han quedado inmortalizados en las calles de dicho distrito de una forma muy particular. A través de una placa conmemorativa, junto al nombre del diseñador, su firma y una breve descripción de los logros en su carrera aparece la mejor representación de su estilo y personalidad creativa, que no es otra que la de uno de sus figurines. Lo cual demuestra la gran importancia de los figurines en el mundo de la moda, toda una seña de identidad del diseñador.

Tal vez en un futuro en *The Fashion Walk of Fame* quede inmortalizado su propio figurín de moda a través del cual será recordado para la posteridad.

CAPÍTULO 1

ORÍGENES DEL FIGURÍN

Para localizar el origen real del figurín para el diseño de moda, tendríamos que remontarnos varios siglos atrás; ir al mismo instante en el que una modista o sastre tuvo una idea para crear una futura prenda de vestir y la dibujó, utilizando como base gráfica de su idea una figura humana representada a escala, o lo que es lo mismo, un figurín.

Con el paso de los años ese figurín o figura representada a escala, fue evolucionando, paralelo a los avances en las técnicas de representación gráfica y sobre todo, por la influencia de los cánones estéticos de su época.

No en vano, el figurín para el diseño de moda forma parte del proceso creativo, de ese proceso de diseño que traslada una idea o concepto intangible a una realidad, a una prenda de vestir.

Esos primeros figurines creados en la intimidad del taller de costura no han quedado documentados, de ahí que sea necesario avanzar unos siglos más hasta encontrar las primeras láminas de moda.

TIPOLOGÍA DEL FIGURÍN

Antes de comenzar el recorrido por los orígenes históricos del figurín, es conveniente comprender las diferencias entre los dos tipos de figurines de moda existentes: el figurín para diseñar moda y el figurín para representar gráficamente moda.

EL FIGURÍN PARA EL DISEÑO DE MODA

En el figurín para diseñar moda, se dibuja la figura humana a escala como referente para representar gráficamente los elementos de una futura prenda de vestir. El figurín para el diseño de moda es en realidad, una herramienta que permite al diseñador transmitir sus ideas gráficamente. Antes de su irrupción, las modistas y sastres trabajaban directamente sobre un maniquí a escala natural o incluso haciendo pruebas sobre su cliente, lo que sin duda limitaba las posibilidades creativas y alargaba considerablemente el proceso de producción.

El figurín para el diseño de moda debe facilitar, en la medida de lo posible, la mejor interpretación de las prendas que representa, dando prioridad a los detalles de las prendas antes que a mostrar los detalles del propio figurín.

EL FIGURÍN PARA REPRESENTAR MODA

En el figurín para representar moda, las prendas han sido previamente confeccionadas, ya existen y es un ilustrador el encargado de plasmarlas gráficamente para su posterior difusión; ya sea en publicaciones de moda, libros o láminas de moda. A partir de esta opción, el ilustrador tiene más libertad para representar gráficamente tanto las prendas como la figura, al centrar su atención en detalles concretos de la prenda o estilizar la figura. En este tipo de figurín, se trata de expresar artísticamente, mediante la ilustración, prendas de vestir, estilos o tendencias. Es el receptor final de la ilustración, quien interpretará finalmente el figurín y las prendas que éste muestre.

Un método sencillo para diferenciar figurines para diseñar moda, de los figurines para representarla consiste en preguntarse si el autor de la ilustración diseñó las prendas que muestra o simplemente las dibujó.

ANTECEDENTES HISTÓRICOS DEL FIGURÍN

Como decíamos al comienzo de este capítulo, no han quedado documentados históricamente los primeros figurines para diseñar moda; si bien los indicios históricos del figurín para representar moda e incluso los orígenes de la ilustración de moda, nos trasladan a principios del siglo XVI, cuando se publicaron numerosas colecciones de grabados con figurines que vestían prendas de distintas nacionalidades y rangos militares creados por artistas plásticos de la época. De entre todas las colecciones de figurines de ese período, destacó la denominada ***De gli habiti antichi et moderni di diverse parti del mondo*** (1590) una extensa colección de más de 400 grabados creados por **Cesare Vecellio** y recopilados en dos ediciones formato libro. En la primera, se mostraban vestimentas de Europa, Oriente y Turquía. En la segunda edición, publicada ocho años más tarde, se exponían vestimentas de África, Asia y del Nuevo Mundo.

A mediados del siglo XVII el grabador **Wenceslaus Hollar** (1607-1677) también dedicó varios de sus grabados, realizados con la técnica del aguafuerte, a la representación de vestimentas inglesas con figurines que incluían en la leyenda una breve descripción de las prendas que mostraban.

Es evidente que en siglos anteriores numerosos artistas ya habían representado en sus cuadros y obras vestimentas de todo tipo, sin embargo éstos grabados fueron las primeras ilustraciones dedicadas específicamente a representar vestimentas, siendo el origen de la ilustración de moda y de los figurines tal y como los conocemos hoy en día.

INVESTIGACIÓN ON-LINE DEL FIGURÍN HISTÓRICO

Gracias a la estupenda labor de digitalización que están desarrollando numerosas instituciones culturales internacionales, es posible visualizar on-line la mayoría de recursos comentados en este capítulo. Por ejemplo la colección completa de grabados de **Cesare Vecellio**, puede consultarse on-line visitando *Gallica* (***http://gallica.bnf.fr***) la biblioteca digital de la *BnF* (*Bibliothèque nationale de France*), con más de dos millones de documentos digitalizados de libre acceso para cualquier internauta. La Web está traducida, entre otros idiomas, al español.

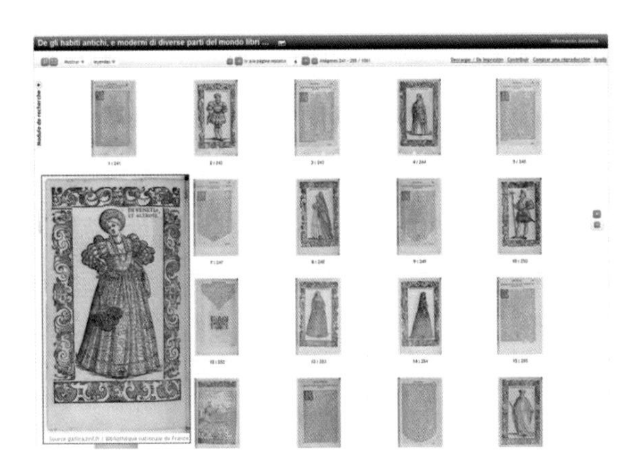

Figura 1.1. Captura de pantalla de la biblioteca digital *Gallica*, mostrando figurines del libro *De gli habiti antichi et moderni di diverse parti del mondo* (1590).

FIGURINES EN LAS PRIMERAS REVISTAS DE MODA

Siguiendo los pasos de **Cesare Vecellio** y **Wenceslaus Hollar**; a partir del año 1670 comenzaron a publicarse, sobre todo en Francia, las que podrían considerarse como las primeras publicaciones o revistas de moda como *Le Mercure Galant* (1672) que a partir del año 1678 pasaría a denominarse *Le Nouveau Mercure Galant*. Lo novedoso de estas publicaciones es que junto a los figurines, también incorporaban una amplia descripción de las prendas y las direcciones de los proveedores dónde adquirirlas. Claramente estas publicaciones son el origen de las revistas de moda actuales.

En la biblioteca digital *Gallica* (***http://gallica.bnf.fr***) encontrará digitalizados 400 ejemplares de *Le Mercure Galant*, clasificados por años y listos para su consulta.

Figura 1.2. Figurines de hombre y mujer publicados en la revista *Le Mercure Galant* precursora de las revistas de moda actuales.

A partir de la segunda mitad del siglo XVIII, el interés por la moda aumentaba y los mecanismos de reproducción seguían mejorando. Lo que provocó que el número de lectores, de publicaciones de moda y de reproducciones de láminas de moda (*fashion plates*) creciese exponencialmente sobre todo en Francia, capital de la moda ya por aquel entonces. Publicaciones periódicas como *Galerie des Modes* et *Costumes Français* (1777) o *Cabinet des modes* (1785), marcaron entre otras el estilo a seguir por ilustradores y grabadores de todo el mundo. Cuando la Revolución Francesa afectó a la industria cultural en Francia, tomaron el testigo, Alemania e Inglaterra.

Cabe destacar la importante labor de digitalización de documentos históricos relacionados directamente con la ilustración de moda y figurines llevada a cabo por la universidad japonesa **Bunka Gakuen**. En su colección digital *Fashion plates* se pueden visualizar numerosos ejemplares de publicaciones periódicas de los siglos XVIII y XIX como por ejemplo la publicación *Cabinet des modes*. La Web de la biblioteca digital de **Bunka Gakuen** (***http://digital.bunka.ac.jp/kichosho_e/***) es un recurso inagotable para conocer los figurines de moda de siglos pasados.

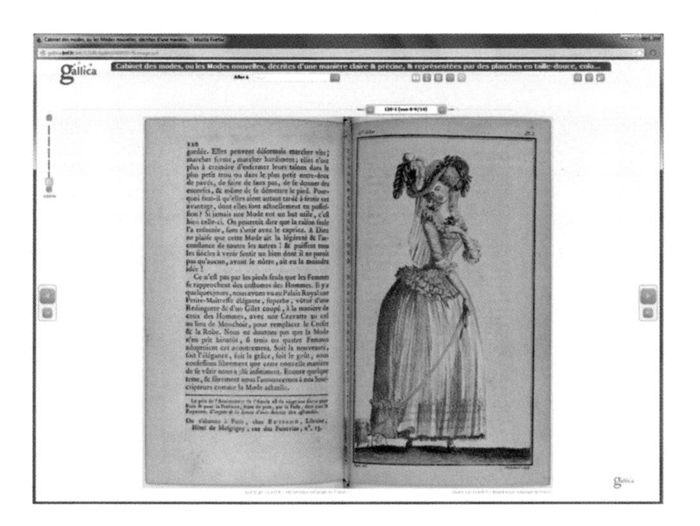

Figura 1.3. **Figurín a color en una de las páginas de la publicación *Cabinet des modes* (1786).**

Figura 1.4. **Figurín o lámina de moda (fashion plate) publicada en *Galerie des Modes et Costumes Français* (1778).**

EL ORIGEN DEL CÓDIGO GRÁFICO DEL FIGURINISMO

A mediados del siglo XIX, Francia recuperó su liderazgo en publicaciones de moda con revistas como *Journal des Demoiselles* (1833) y la famosa *La mode illustrée* (1860). Los dibujantes de figurines del siglo XIX establecieron el código gráfico del figurinismo actual. Los figurines parisinos llegaban a casi todos los rincones del mundo civilizado, su forma de representar la figura humana vestida, sentó un precedente histórico que continúa hasta la ilustración de moda actual. Los primeros figurinistas especializados educaron visualmente a los lectores de moda, creando un lenguaje propio, facilitando la interpretación de las prendas y comunicando gráficamente la esencia de la moda.

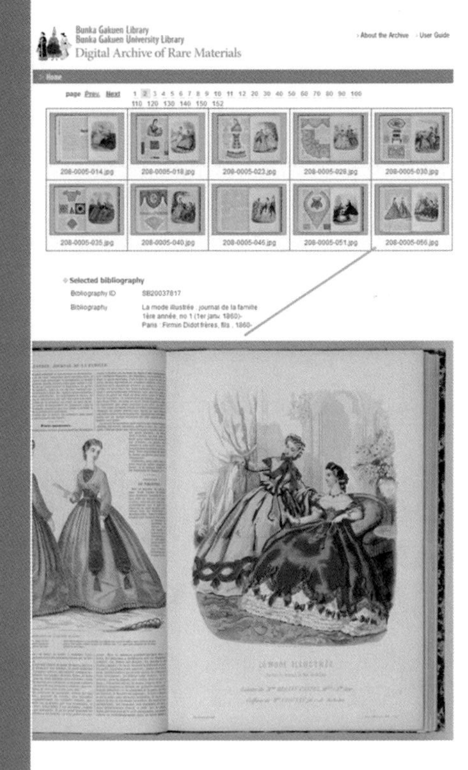

Figura 1.5. **Ejemplar de la famosa publicación francesa *La mode illustrée* (1860) disponible para su consulta en la librería digital de Bunka Gakuen.**

EL FIGURÍN ESTEREOTIPADO

Al hacer este breve repaso por la historia de los figurines de moda, es imprescindible mencionar la labor del ilustrador americano **Charles Dana Gibson** (1867-1944) quien creó a la icónica *Gibson Girl*, un figurín con estilo y personalidad propia basado en el ideal de belleza estadounidense. Este figurín ilustrado mediante trazos lineales en negro, seguía un canon de belleza estilizado que marcaba la cintura y acentuaba los ojos para una mayor expresividad.

La *Gibson Girl*, seguía el estereotipo de una chica alta, delgada pero, al mismo tiempo, voluptuosa. Representaba la imagen integral de la moda, la belleza y el éxito social, era la chica *it* del momento. El figurín *Gibson Girl* comenzó a aparecer en revistas y publicaciones desde el año 1890, se mantuvo como un icono del estilo americano durante los 20 años siguientes.

Figura 1.6. La *Gibson Girl*, el figurín que representaba a la *it girl* creada por el ilustrador **Charles Dana Gibson**.

EL FIGURÍN DE ARTISTA

La irrupción de la fotografía en el siglo XIX y su popularización a principios del siglo XX, frenó considerablemente la utilización de ilustraciones de moda en publicaciones y por consiguiente redujo los encargos de dibujo de figurines. Aunque hubo un periodo de convivencia en el que se podían localizar publicaciones en cuyas páginas se mostraban tanto fotografías como grabados.

El mundo del arte y el nacimiento de las vanguardias artísticas también causaron su impacto en el dibujo de figurines. Diseñadores de moda de renombre encargaban a artistas ilustraciones de sus diseños como, por ejemplo, **Paul Poiret**, que en 1908 le encargó al español **Paul Iribe** que dibujara varios de sus diseños para el álbum titulado *Les robes de Paul Poiret*.

Figura 1.7. Una de las láminas del álbum *Les robes* de **Paul Poiret**, ilustradas por **Paul Iribe**.

El estilo artístico que impregnaban los artistas a las ilustraciones de moda quedó reflejado en *La Gazette du Bon Ton*, una revista fundada en 1912 por **Lucien Vogel**, que aunaba el trabajo de diseñadores de moda y artistas. Esta publicación intentaba que la ilustración de moda llegase a ser considerada como un medio más de expresión artística. El estándar estético de los figurines para representar moda se transformó y elevó gracias a esta publicación, donde los artistas tenían libertad creativa para representar las prendas creadas por los diseñadores de moda y modistos de la época.

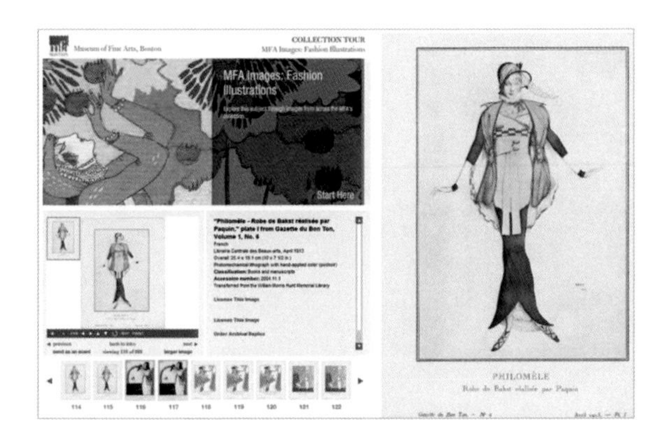

Figura 1.8. Figurín en *La Gazette du Bon Ton* (1913) mostrando prendas de la diseñadora **Jeanne Paquin**.

Varios ejemplares de *La Gazette du Bon Ton* se encuentran disponibles on-line en la Web del *Boston Museum of Fine Arts* bajo su colección digitalizada de originales de ilustración de moda (***http://www.mfa.org/node/933***)

FIGURINES ILUSTRADOS Y COLABORACIONES HISTÓRICAS

La colaboración entre artistas y diseñadores que comenzó a principios del siglo XX resultó muy fructífera. Cada vez era más frecuente que los diseñadores de moda encargasen ilustraciones de sus diseños a artistas plásticos e ilustradores profesionales. Poco a poco fue apareciendo la figura del ilustrador de moda profesional o figurinista, encargado de convertir en ilustraciones los trabajos de diseñadores de moda, modistos y *Maisons* de alta costura.

A la hora de localizar ilustraciones y figurines de ilustradores de moda del siglo 20, como por ejemplo los grandes **René Gruau**, **Kenneth Paul Block**, **Antonio López** o **René Bouché**, basta con visitar las hemerotecas digitales de las grandes publicaciones de moda del siglo pasado, como por ejemplo la del Grupo *Condé Nast* que almacena más de 400.000 páginas de todas las revistas *VOGUE* publicadas desde su primer número en el año 1892 hasta la actualidad. En una gran labor de digitalización y clasificación, los archivos digitales de *VOGUE* (***http://www.vogue.com/archive***) están optimizados para localizar páginas concretas, pudiendo segmentar búsquedas por diseñador o en este caso en particular, por ilustrador de moda.

Figura 1.9. **Portadas de revista creadas por dos de los ilustradores de *VOGUE*, René Bouché y René Gruau.**

A lo largo de la historia de las publicaciones de moda son muchos los ilustradores que trabajaban dentro de las propias revistas, eran ilustradores *in-house*, como por ejemplo **René Bouché** quien ilustró durante años las páginas de *VOGUE*.

Otra colaboración muy productiva entre diseñador e ilustrador fue la de **Christian Dior** con **René Gruau**. Durante más de 30 años los anuncios de *Dior* tenían el sello del ilustrador italiano **René Gruau** (1909-2004) que ya había trabajado para otros grandes de la alta costura como *Balenciaga*, *Rochas*, *Lanvin* o *Hubert de Givenchy*. Las líneas, los trazos fluidos, los altos contrastes de color y su gran habilidad para capturar la elegancia de la *maison Dior*, lograron crear un estilo gráfico irrepetible que sin duda contribuyó al éxito rotundo de *Dior*. La carrera de **René Gruau** se extendió durante casi seis décadas. Tras su muerte en 2004, la casa *Dior* le rindió homenaje de la mejor manera posible con una colección de alta costura inspirada en su estilo y estética gráfica.

ESTUDIOS DE ILUSTRACIÓN DE FIGURINES

Los ilustradores de moda trabajaban de forma independiente para diversos diseñadores o formaban parte de la plantilla de editoriales y firmas de moda, aunque también había empresas y estudios dedicados a ofrecer servicios de bocetaje (*sketch* y croquis) e ilustración de moda por suscripción a fabricantes, comerciantes e industriales de la confección. En realidad estos estudios en su mayoría americanos, tenían corresponsales o agentes en Paris, encargados de dibujar y de reproducir en papel las creaciones de los diseñadores franceses para después enviar los diseños a los fabricantes y centros comerciales (*department stores*) americanos. Uno de los estudios más conocidos en ofrecer estos servicios de bocetaje por suscripción era *André Studios*, ubicado en Nueva York con una extensa cartera de clientes deseosos de confeccionar las ideas recién llegadas, o mejor dicho, copiadas de Paris. Los figurines y bocetos de *André Studios* muestran por tanto, una selección del mejor estilo de la época en la que Paris ya era la capital consagrada de la moda que dictaba las tendencias a seguir en todo el mundo.

Recientemente la *New York Public Library* y el *Fashion Institute of Technology* se embarcaron en el proyecto conjunto de digitalizar cientos de figurines del estudio neoyorquino *André Studios* datados entre los años 1930 y 1941. Más de una década de moda representada en figurines accesibles desde la dirección Web ***http://andrestudios.nypl.org***.

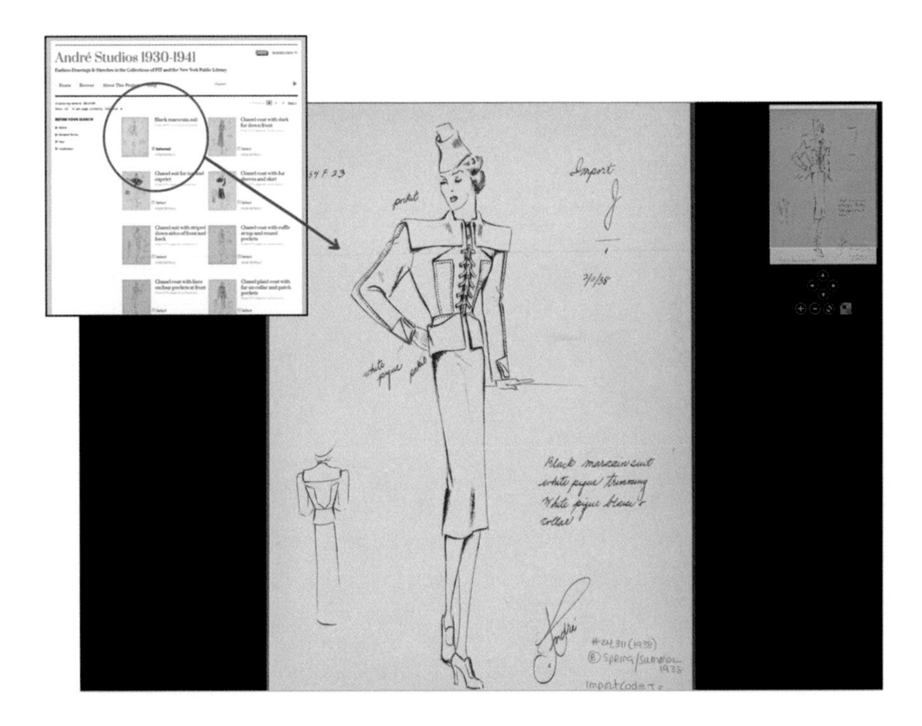

Figura 1.10. **Uno de los cientos de figurines creados en el estudio neoyorquino *André Studios*.**

FIGURINES DE VESTUARIO

Si buscamos figurines y figurinistas en la historia, también debemos detenernos en el diseño de vestuario y teatro.

Para localizar figurines de vestuario, nada mejor que visitar la colección digital de diseños de producción de los OSCARS, una colección que forma parte de los extensos archivos digitales de *The Academy of Motion Picture Art and Sciences* (***http://collections.oscars.org/prodart***).

En ella, pueden localizarse los diseños de vestuario de cientos de películas, incluyendo también obras de figurinistas de renombre como **Walter Plunkett** (diseñador americano de vestuario de más de 160 producciones cinematográficas entre las cuales destaca la mítica Lo que el viento se llevó), **Edith Head** (la oscarizada diseñadora americana responsable del vestuario de películas como *Vacaciones en Roma* o *Eva al desnudo*) y **Cecil Beaton** (conocido fotógrafo y diseñador de vestuario británico, autor de por ejemplo el vestuario de la película musical *My Fair Lady* o *Gigí*).

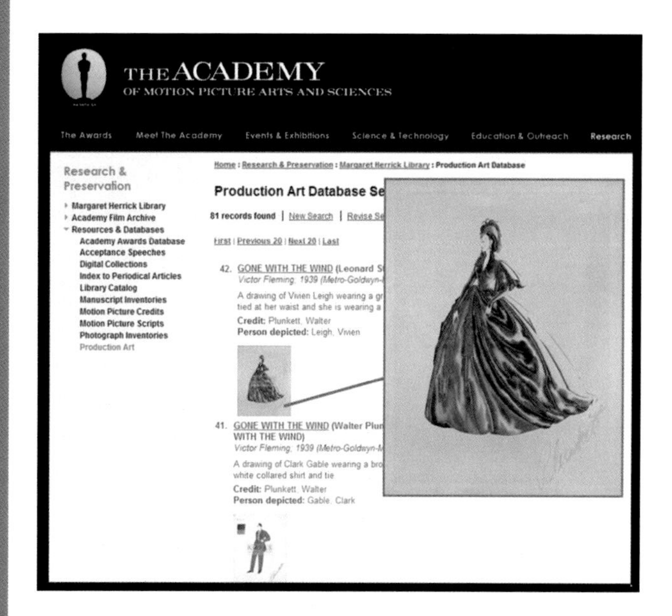

Figura 1.11. Figurín de **Walter Plunkett** con el diseño de uno de los vestidos para la película Lo *que el viento se llevó* (1939). El figurín representa gráficamente a la actriz **Vivien Leigh**.

Figura 1.12. Figurines de vestuario creados por **Jorge Noa** y **Pedro Balmaseda** (*www.nobarte.com*) Miami, USA.

A la hora de dibujar figurines para vestuario, el figurín debe, en la medida de lo posible, reflejar los rasgos faciales y corporales de la actriz o actor que portará las prendas una vez confeccionadas. Es por ello que en las colecciones digitales, encontrará junto a los demás datos del figurín, el nombre de la actriz o actor representando.

De todos modos cabe mencionar, que los figurines de rasgos personalizados solo se requieren para el elenco principal de actores. Para la creación del diseño de vestuario para el resto de actores, extras y figurantes de la producción tanto teatral como cinematográfica, se suele optar por no mostrar rasgos distintivos en el figurín.

FIGURINES PARA CELEBRIDADES Y ESPECTÁCULOS

En la actualidad los figurines también son utilizados por las grandes firmas de moda para anunciar su colaboración profesional con artistas del mundo de la música y el espectáculo. Enviando los figurines previos a la confección de las prendas. Muestran a los medios de comunicación en primicia cuáles serán las prendas que llevarán en la próxima gira o espectáculo los artistas seleccionados. Algunos ejemplos llamativos son los figurines realizados por **Ricardo Tisci** para presentar el diseño de vestuario de varias giras de **Rihanna** y **Madonna**. En los figurines para espectáculos y celebridades ya se opta por mostrar detalles específicos de cuerpo y rostro para que sean más identificables por el gran público.

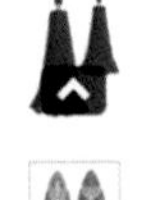

Figura 1.13. Figurines de **Madonna** y **Rihanna** creados por **Ricardo Tisci** -*Givenchy*- para una de sus giras.

FIGURINES CONTEMPORÁNEOS EN REPORTES DE TENDENCIAS

Para finalizar este breve recorrido por los orígenes y la historia del figurín, llegamos a la época contemporánea donde Internet pone a nuestro alcance los trabajos de diseñadores de moda y figurinistas de todo el mundo. Un buen recurso para localizar figurines de moda actuales, con las últimas tendencias de la temporada, es visitar el sitio Web de la empresa *Pantone* (***www.pantone.com***), la máxima autoridad en estandarización del color para la industria de la moda. Desde hace varios años, coincidiendo con la *Semana de la Moda de Nueva York*, *Pantone* publica on-line en formato PDF sus famosos reportes de tendencias en color, proponiendo los colores que se llevarán las próximas temporadas. Para la creación de dichos reportes cada temporada (Primavera/Verano - Otoño/Invierno) *Pantone* colabora con diseñadores de moda y *fashion influencers* de todo el mundo, que crean diversos figurines con las prendas *must-have* y las combinaciones de color propuestas para la próxima temporada. Con toda esta información *Pantone* redacta el informe *Fashion Color Report* que una vez publicado servirá de guía de color para diseñadores y la industria de la moda en general.

Figura 1.14. **Figurines del *Pantone Color Fashion Report Spring* 2014.**

CAPÍTULO 2

EL FIGURINISTA E ILUSTRADOR DE MODA

En la mayoría de las ocasiones, los figurines de moda son creados por los propios diseñadores como parte del proceso creativo. Sin embargo, no todos los diseñadores de moda saben dibujar o poseen las dotes artísticas y técnicas para conseguir plasmar sus ideas en un figurín. Entre otros motivos, esto ha dado lugar a la aparición del perfil del figurinista e ilustrador de moda profesional; quien por encargo previo, dibuja y transmite gráficamente las ideas del creador. Por lo tanto, el profesional encargado del dibujo y creación de figurines puede ser, tanto el diseñador como el figurinista e ilustrador de moda.

PERFILES PROFESIONALES

A lo largo de este capítulo abordaremos la labor desarrollada por tres perfiles distintos de figurinista e ilustrador de moda profesional. Son tantas las posibilidades creativas a la hora de ilustrar moda, que resulta necesaria la especialización. Actualmente, la demanda de figurines en la industria de la moda, está focalizada en tres sectores concretos: el sector creativo, el sector editorial y el sector del *coolhunting*, éste último dedicado al análisis y a la predicción de tendencias.

EL ILUSTRADOR DE MODA PROFESIONAL

El figurinista e ilustrador de moda profesional atiende, con frecuencia, encargos de diseñadores de moda que precisan transmitir gráficamente un diseño o una colección concreta. Este trabajo puede realizarse durante las fases previas y posteriores a la confección de las prendas. En el caso de ilustrar figurines durante el proceso previo a la confección o durante el proceso de creación, los figurines tienen que mostrar los detalles específicos de las prendas para facilitar su posterior interpretación en la fase de patronaje, corte y confección.

Un buen figurinista ayudará a transmitir, de la forma más clara posible, el diseño de las prendas; incluyendo detalles, anotaciones técnicas y el dibujo en plano de cada pieza si fuera necesario.

Cuando se trata de ilustrar figurines en la fase posterior a su confección, el figurinista tiene mayor libertad creativa y artística para plasmar las prendas en el figurín. El uso final de estos figurines suele ser, promocional o editorial.

Los encargados de contratar al figurinista e ilustrador de moda serán los propios diseñadores o los responsables editoriales de las publicaciones de moda. Contratan ilustraciones para acompañar un artículo, reportaje o ilustrar las páginas de un libro especializado.

En los últimos años, también ha aumentado la demanda de figurines para paneles de tendencias (*trendboards*), siendo las agencias de *coolhunting* y predicción de tendencias, las encargadas de contratar al figurinista o ilustrador de moda, encargado de representar gráficamente futuras tendencias en base a los datos recabados en sus sesiones de análisis.

FIGURINES E ILUSTRACIÓN DE MODA EDITORIAL

Los figurinistas e ilustradores de moda especializados en el ámbito editorial, gracias a su facultad para dibujar lo intangible con estilo propio, han ido ganando protagonismo frente a los fotógrafos especializados en moda; sobre todo en la última década. La profesionalización del ilustrador de moda, las nuevas técnicas digitales y la comunicación global, han motivado el regreso de la ilustración de moda. Además, publicaciones como la revista británica *DASH* (***www.dashmagazine.net***) han contribuido al descubrimiento de nuevos valores y al ensalzamiento de la ilustración de moda como un medio más de expresión artística.

Los figurinistas más prestigiosos, tienen un estilo y una técnica propios que los diferencia de los demás ilustradores; tal es el caso de **Arturo Elena** (***www.arturoelena.com***) ilustrador de moda español con una dilatada experiencia profesional cuyo estilo inconfundible y su gran dominio técnico, lo han convertido en uno de los iconos internacionales de la ilustración de moda.

La mejor forma de conocer cómo trabaja un figurinista e ilustrador de moda es a través de sus palabras. A continuación se incluye una entrevista a **Arturo Elena** acompañada de una selección de trabajos.

OPINIÓN EXPERTA: ARTURO ELENA, ILUSTRADOR DE MODA

ARTURO ELENA
www.arturoelena.com

Arturo Elena empezó a trabajar en los años 80 como asistente de diseño para colecciones de hombre y mujer en Barcelona.

Loewe, Chanel España, Roberto Verino, Victorio & Lucchino, Lemoniez, Custo Barcelona, Rafael Matías, The Extrème Collection, Carrera & Carrera o *Audemars Piguet*, son algunas de las firmas para las que ha colaborado.

Sus ilustraciones se han publicado en numerosas revistas como *Telva, Elle, Mujer Hoy, Yo Dona, Máxima* (Portugal), *Angelines* (Francia), *Snitt* (Noruega), *Vision* (China), *X Funs* (Taiwán), *DPI 8* (Taiwán), etc.

Desde 1992 hasta marzo de 2009 ha publicado mensualmente sus ilustraciones en *Cosmopolitan* España.

Desde 1998 colabora de forma permanente como profesor de ilustración para el *Instituto Europeo di Design*.

Recientemente, invitado por el *Museo del Traje CIPE* (Madrid), inauguró la exposición retrospectiva titulada "*Arturo Elena: 25 años de ilustración*", que repasa su trayectoria como ilustrador durante los últimos 25 años.

Figura 2.1. Arturo Elena. Foto Dean Tolosa.

Figura 2.2. 1995 *-ELLE- Versace.*

¿Cuándo comenzó tu relación con el mundo de la moda?

Supongo que durante mi adolescencia, que es cuando comenzamos a tener conciencia de nuestro aspecto... Fue entonces cuando me empezó a interesar la moda. Al finalizar mis estudios, lo único que tenía claro era que quería dedicarme a este mundo, al ser lo que más me atraía profesionalmente, aunque por aquel entonces, yo pensaba que quería ser diseñador de moda; así que mi primer trabajo fue como ayudante en los departamentos de diseño en varias firmas de hombre y mujer. Lo de ser ilustrador vendría más tarde.

Grandes artistas y diseñadores han sido autodidactas, ¿es ese tu caso?

No me considero un diseñador y menos un gran artista, pero sí autodidacta; no asistí a ningún centro o escuela para aprender la técnica que desarrollo. Al finalizar COU quise estudiar Diseño en Barcelona, pero la directora del centro me dijo que en mi caso, la mejor escuela sería el trabajo, y obedecí. Aprendí esta profesión trabajando, teniendo como guías mi interés por la moda, el dibujo, mi gusto personal e intuición.

¿Cuáles son tus referentes artísticos y fuentes de inspiración? ¿Algún ilustrador o diseñador de moda en particular?

Por afición personal y por motivos de trabajo tengo que estar al corriente de las tendencias de moda. Además, soy un gran consumidor de prensa especializada nacional e internacional. La fotografía de moda es un referente para mí, y admiro el trabajo de fotógrafos como **Irving Penn** o **Richard Avedon**, pero también el de contemporáneos como **Helmut Newton** o **Steven Meisel**.

Si hablamos de influencias de otros ilustradores, debo mencionar a **René Gruau**; también los trabajos de **Stefano Canulli** en su etapa del *Vanity* (suplemento de *Vogue* Italia en los 80). Cuando observo mis primeros encargos como ilustrador, veo claramente la influencia que tuvieron en aquel momento.

¿Recuerdas cuando dibujaste tu primer figurín de moda?

No puedo recordar mi primer dibujo, porque me gustó dibujar desde muy niño. Lo que sí recuerdo es mi primer trabajo como profesional de la ilustración. Fueron unas imágenes publicitarias para prensa de moda de la firma *Victorio & Lucchino* (Sevilla), sobre 1983.

De dibujar figurines con tus propios diseños de moda, pasaste a ilustrar moda diseñada por otros ¿diseñar moda o ilustrar moda? ¿Qué te llevó a tomar esa decisión?

Como he dicho antes, mi primera incursión en el mundo de la moda fue diseñando prendas; después de cinco años trabajando en equipos de diseño en Barcelona y Sevilla, me di cuenta que disfrutaba al plasmar sobre papel las ideas, o sea, dibujar.

Gracias a mi facilidad y afición por el dibujo, los diseñadores *Victorio & Lucchino*, con quienes me unía una relación de amistad, comenzaron a encargarme alguna ilustración para su publicidad. Pero el salto definitivo a la ilustración profesional vino a través del encargo de unas carpetas de prensa, para los diseñadores sevillanos con motivo del lanzamiento del perfume y la colección *Carmen*, presentada en la *Pasarela Cibeles en 1992*. Este trabajo, al llegar a la prensa especializada en moda, me abrió las puertas para darme a conocer y poder así colaborar con distintas revistas, como *Cosmopolitan*, *Elle* o *Telva*. Poco a poco, me ofrecieron trabajos específicos de ilustración; para aquel entonces yo ya tenía claro que más que diseñar, lo que me gustaba era ilustrar los diseños de otros. Los encargos realizados para estas revistas supusieron mi consolidación como ilustrador de moda, no fueron tiempos fáciles; todavía recuerdo las visitas a redacciones con mi carpeta de trabajos debajo del brazo. Los clientes no siempre han venido a mí.

Llegar a ser ilustrador no fue algo premeditado y no era una meta para mí, me llevaron a ello las circunstancias y saber aprovechar las oportunidades brindadas.

Figura 2.3. 1996 - *ANGELINE'S- Lacroix.*

Figura 2.4. 2006 - *Cosmopolitan* (España)- *Gucci.*

Figura 2.5. y 2.6. 2006 - *Victorio & Lucchino*- P/V 06.

ilustración: **ARTURO ELENA**

Con tu larga experiencia en el mundo de la moda, ¿cómo crees que ha evolucionado el panorama de la ilustración en España estos últimos 25 años?

El mundo de la moda es versátil "*per se*", donde las tendencias cambian a un ritmo vertiginoso. La evolución más notable que he percibido no es exclusiva de la moda, sino de nuestro entorno en general. Con la llegada de Internet, la información se ha multiplicado y además es instantánea; ya no existen las distancias. Ha sido un cambio radical desde que yo comencé, cuando apenas existían revistas de moda en España, para pasar a un mundo sobreinformado donde todo va muy rápido. En general es una evolución positiva, y en mi caso concreto, gracias a Internet los ilustradores podemos trabajar para cualquier parte del mundo sin necesidad de movernos de nuestro estudio. De hecho, mis representantes no viven en la misma ciudad que yo: una tiene su despacho en Madrid, pero la que se ocupa de las gestiones internacionales, vive en Londres y mi comunicación con ella suele ser a través del correo electrónico o vía Skype, algo impensable no hace muchos años.

Figura 2.7. 2005 -*Premios L'Oreal Paris- Pasarela Cibeles.*

Tu estilo está perfectamente definido y tiene personalidad propia, has logrado que tus figurines se identifiquen a simple vista ¿cuál crees que ha sido el factor de éxito?

Sé que mi estilo es muy personal y marcado, eso para mí es una ventaja. Por ejemplo, si hablamos de firmas de moda reconocidas, y hoy día son muchas, vemos que un elemento común en ellas es su originalidad o estilo particular que automáticamente identificamos con una marca concreta. Eso les permite diferenciarse de las demás. Evidentemente no será del agrado de todo el mundo, sin embargo, tendrá un público incondicional. Identifico la uniformidad en este sentido como algo negativo, y pienso que lo mismo ocurre con los diferentes tipos de ilustración. Siempre he dibujado como me gustaba, a pesar de recibir algunas críticas. Al principio, es inevitable que todos tengamos referentes que influyan en nuestro trabajo, no obstante es fundamental desarrollar un estilo propio, saber diferenciarse. Es un orgullo que cuando alguien ve mi trabajo, sepa reconocerlo sin necesidad de comprobar la firma, independientemente si es o no de su gusto.

Figura 2.8. 2008 -**Rafael Matías**- Catálogo tejidos Otoño/Invierno 08/09.

Figura 2.9. 2008 - *Cosmopolitan* - (España).

¿Cuál es el proceso creativo que sigues habitualmente desde que un cliente te encarga una ilustración?

Al trabajar por encargo dependo mucho de lo que me haya pedido el cliente. La comunicación es fundamental, pues además de ilustrar su producto, debo saber qué pretende que refleje, cuáles son sus objetivos, el público al cual se dirige, qué soportes se van a utilizar, etc. Una vez establecida esta base, comienzo a imaginar cuál es la escena que quiero desarrollar. Para mí, este proceso, el imaginativo resulta más difícil que plasmar la imagen en sí. Cuando tengo una idea bastante aproximada sobre qué es lo que quiero, comienzo con los bocetos y sus retoques. El último paso consiste en trasladar el boceto a limpio y dar color, lo que técnicamente se denomina arte final.

Figura 2.10. 2011 - *YO DONA*- (España).

Dibujas mujeres de proporciones irreales, con unas figuras tremendamente estilizadas, ¿esto atiende a algún canon de proporción especial? ¿Modificas deliberadamente alguna parte del cuerpo en concreto?

Es evidente que la proporción humana en mi trabajo está distorsionada, y no es algo estudiado. Dibujo así de forma instintiva, deliberada. Y sí, considero que es una impronta de mi trabajo, algo muy característico. En él, lo único real es el tratamiento de luces y sombras y el hiperrealismo en los tejidos y texturas. Precisamente, ésta es una de las licencias de la ilustración: poder plasmar la irrealidad, algo que no se consigue con la fotografía (a no ser que esté manipulada, evidentemente). No puede haber una mujer real detrás de mis ilustraciones, nadie tiene cuellos de 40 cms o piernas de 2 metros de largo, que son las proporciones que yo manejo.

También realizas ilustraciones de hombre con el mismo nivel de sofisticación y estilización, ¿a la hora de dibujar la figura masculina empleas alguna técnica diferente?

En general, conservan las mismas peculiaridades de mis personajes femeninos, obviamente adaptados a la anatomía masculina; lo único que puede diferenciarlo de `mis' mujeres son sus actitudes, sus poses, etc; pero, al igual que ellas, mis personajes masculinos vienen definidos por las pautas que marca cada cliente.

Figura 2.11. 2008 - *The Extreme Collection*- (Madrid-España) Otoño/Invierno 08/09.

Llama la atención que en muchas ocasiones acompañas tus figurines con animales (perros, caballos, jaguares...) podría decirse que los animales que dibujas también son figurines. Para dibujarlos con tanto estilo, tienes que conocer bien su anatomía, ¿utilizas alguna referencia visual?

Ocurre exactamente igual que con la figura humana. Tomo referencias de fotografías, siempre filtradas a mi estilo, lo que equivale a un alargamiento irreal de la figura, pero siempre proporcionando.

Tus figurines no se limitan a mostrar moda, reflejan una actitud. Los personajes que recreas tienen su propia personalidad, acentuada en ocasiones por el uso de otros elementos, como motocicletas o coches de lujo, dibujados en ángulos y perspectivas que bien podrían ser fotográficas, ¿utilizas la fotografía como base para dotar de mayor realismo a tus ilustraciones?

Cuando realizo mi trabajo, intento ir más allá, crear un escenario donde el producto se exprese, no dibujar un figurín sin más. Para transmitir ese escenario a veces utilizo otros elementos, como puede ser un interior, un coche, animales... Siempre parto de imágenes reales, como referencia de luces, sombras, perspectivas, movimiento, etc. que después filtro a mi estilo.

El uso de fotografía o imagen real como modelo, es una técnica habitual en las escuelas de arte, donde a los alumnos se les pide que hagan su dibujo del natural, con un modelo o un bodegón reales. Para intentar plasmar desde la perspectiva de cada uno, la imagen con sus luces, sombras, movimientos etc. Pues bien, yo en lugar de tener al modelo o a la modelo en vivo, lo tengo fotografiado.

Figura 2.12 . 2004 -*Custo Barcelona*- Heroínas.

Tu técnica de dibujo y coloreado es muy personal, logras un acabado y unas texturas muy realistas ¿podrías describirla en algunos pasos? ¿Qué herramientas de dibujo utilizas? ¿Recomiendas algún papel y tamaño especial?

En mis ilustraciones siempre existe un boceto previo. Una vez realizado, cuando decido aplicar el color, comienzo por el rostro, y continúo por las partes que muestran piel; como las manos o las piernas, porque son las zonas más delicadas y trabajosas. Normalmente lo último que ejecuto son las prendas, pero también depende de la ilustración. A veces hay excepciones.

En cuanto a herramientas, a lo largo de mi carrera he experimentado con diferentes técnicas, sin embargo, desde hace años utilizo exclusivamente rotuladores sobre cartulina, con ellos puedo obtener todos los efectos deseados. Pero los rotuladores no los utilizo de forma estrictamente convencional, sino que he ido experimentando cosas nuevas, como fundir o licuar las tintas. La técnica que utilizo sin haberla planificado.

En cuanto al tipo de papel, utilizo cartulina *Canson* "*Mi-Teintes*", por su parte más lisa, la zona del reverso. Para mí es el soporte perfecto para los rotuladores tal y como los utilizo.

¿Cuáles son tus herramientas digitales imprescindibles?

Aplicadas al dibujo, recurro a muy pocas. Algunas veces Photoshop para crear fondos planos o con degradado de color, pero las figuras siempre están hechas a mano, siguiendo el método tradicional. Me facilita mucho mi trabajo el escáner, que hace que pueda enviarlo a cualquier lugar. Cuando comencé a trabajar en esta profesión, hace más de 25 años, tenía que enviar por mensajería o entregar las ilustraciones originales a las editoriales y así pudiesen hacer las composiciones. Alguna vez, se perdieron los dibujos originales.

Figura 2.13. 2006 -*Mujer Hoy*-.

La gran mayoría de tus ilustraciones muestran mujeres en ambientes lujosos y escenas elitistas, llama la atención el detalle que aplicas en los fondos, en la ilustración manual resulta complicado corregir errores, ¿trabajas de forma independiente los fondos o recurres a la edición digital en alguna ocasión?

Sí, es lo malo de trabajar a mano: no puedo cometer errores, porque implicaría comenzar el trabajo de nuevo... No puedo darle a la tecla de `deshacer'. Realizar fondos conjuntamente con la/-s figura/-s o no hacerlo, depende de las necesidades de edición posteriores. Cuando realizo figura y fondo, separados no es que tema equivocarme, sino por las necesidades de composición o del soporte del trabajo.

Hay programas de ilustración de medios digitales que, utilizados conjuntamente con una tableta digitalizadora, pueden simular casi por completo el entorno de trabajo manual, añadiendo ventajas considerables al flujo de trabajo; como la reedición de las ilustraciones y la corrección de errores. Sin embargo, sigues apostando por la ilustración manual, ¿defiendes la ilustración como un arte tradicional? ¿No te convencen los acabados digitales?

Ni la defiendo ni la ataco. Personalmente, me satisface como dibujante que lo que queda sobre el papel lo hayan logrado mis manos. Sin embargo, entiendo que para otros profesionales con menos habilidades artísticas para el dibujo, pero con un gran potencial creativo, las nuevas tecnologías pueden ser el medio para crear trabajos muy válidos con gran impacto visual, que es lo que cuenta al final.

Tus ilustraciones han sido publicadas en revistas de todo el mundo, tu trabajo ha sido premiado en varias ocasiones y recientemente te han dedicado una exposición retrospectiva a tus 25 años como ilustrador de moda, en el *Museo del Traje de Madrid*. Tu carrera es por sí inspiradora y motivadora, pero tras tu experiencia personal ¿con qué palabras motivarías a las futuras generaciones de figurinistas e ilustradores de moda para que continúen su trayectoria en el mundo de la moda?

Cuando me hacen esta pregunta referente a mi trayectoria, me doy cuenta de que sin tesón no lo hubiese conseguido. Les mentiría diciéndoles que éste es un mundo sencillo. A veces la moda tiende a verse como un mundo frívolo y superficial; lo cierto es que detrás de su parte más deslumbrante, los desfiles y el halo de lujo y glamour, hay horas y horas de trabajo indispensable y mucho esfuerzo desapercibido. Hay que trabajar mucho si quieres llegar a algo, esto es aplicable a cualquier otro ámbito profesional. Ser honesto en cuanto a reconocer si existe o no una vocación y aptitudes para ello, y después tener perseverancia, creer mucho en uno mismo, no desanimarse. El tesón y la constancia son fundamentales en esta profesión, especialmente al principio. Nadie me ha regalado nada, pero he aprovechado cada una de las oportunidades ofrecidas. Creo que aún me queda recorrido, pero todo el esfuerzo invertido ha merecido la pena y lo volvería a repetir, sin duda. Es un lujo poder dedicarme profesionalmente a mis dos pasiones: la moda y el dibujo.

Figura 2.14. y 2.15. 2012 -*Audemars Piguet*- (North América).

LIVE RUNWAY SKETCHING

Dentro de la ilustración de moda para el sector editorial, cabe destacar el *live runway sketching* o bocetado en vivo en pasarela; una especialidad de figurinismo en auge por la popularización de las redes sociales y la retransmisión y seguimiento en directo de los eventos de moda.

En la actualidad los figurinistas e ilustradores de moda cada vez reciben más encargos editoriales de *live runway sketching* o de bocetado en vivo en pasarela, especialmente cuando se celebran grandes eventos o ferias de moda como las *Semanas Internacionales de la Moda* en Paris o Nueva York.

La fotografía de moda, captura únicamente el momento exacto y preciso en la pasarela, sin embargo un *live runway sketch* toma ese instante y lo filtra al estilo del ilustrador que lo realiza. Este puede centrarse en los elementos más llamativos del conjunto o en la emoción del modelo o la prenda antes de plasmarlo en su dibujo.

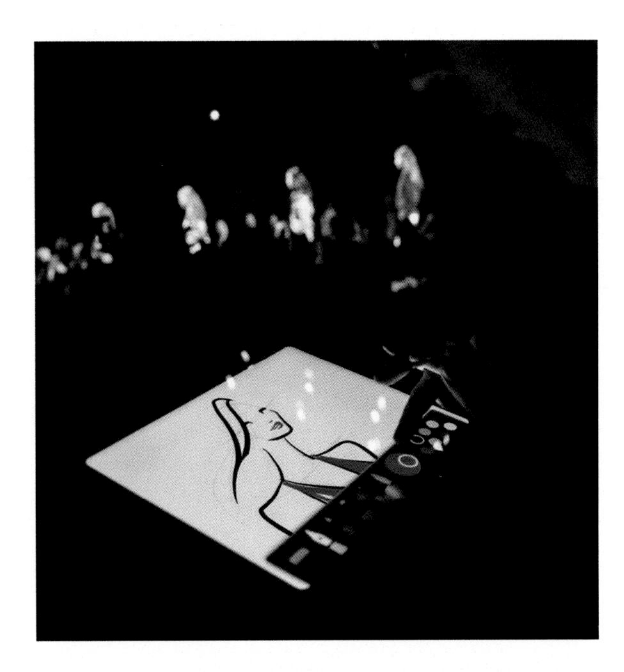

Figura 2.16. **Danielle Meder** en una sesión de *live runway sketching* con medios digitales. Foto: **Georg Petschnig**.

El *live fashion sketching* conjuga lo mejor de capturar un momento preciso con la personalidad del ilustrador o figurinista que lo realiza, creando bocetos considerados auténticas obras de arte gráfica.

El *live runway sketching* lleva varias décadas conviviendo con la fotografía de moda. Especialmente ahora, en el siglo XXI, cuando los diseñadores quieren dejar documentados sus desfiles de forma más original y genuina. Cada vez es más frecuente que grandes revistas de moda o periódicos generalistas opten por contratar ilustradores para documentar gráficamente sus artículos y reportajes en las semanas de la moda. Cámaras, *sketchbooks* (blocs de notas) y tabletas digitales con aplicaciones de dibujo, comparten el *front-row* (la primera fila de asientos) de numerosos desfiles y *fashion shows*.

Para conocer mejor como trabajan los ilustradores de moda en las sesiones de bocetado en vivo, a continuación se incluye una entrevista realizada a **Danielle Meder** (***http://daniellemeder.com***) ilustradora de moda canadiense especializada en *live runway sketching*, autora del blog *Final Fashion* (***http://final-fashion.ca***) y creadora de las populares *Paper Dolls*.

OPINIÓN EXPERTA: DANIELLE MEDER, ILUSTRACIÓN EN VIVO EN PASARELA

¿Puedes explicar el proceso que sigues para realizar tus *live runway sketches*?

Primero utilizo un color claro para dibujar el bosquejo rápido del esqueleto del figura, inspirado por el movimiento, la música, la actitud de la modelo y el ambiente del desfile. Me gusta seleccionar *outfits* (conjuntos) que llaman la atención; bien sea por su color, línea o drapeado, o por la actitud de ciertos modelos. Al tener tan poco tiempo, estas decisiones son más instintivas que racionales. Una vez definido el bosquejo, añado el toque de color, si lo precisa. Para terminar, añado contornos en tonos oscuros o negros.

¿Cuánto tiempo te lleva dibujar un *live sketch* en un desfile de moda?

Entre 30 segundos y 3 minutos, nunca me he cronometrado, pero intento dibujar al menos media docena de *sketches* por desfile y los desfiles suelen durar unos 15 minutos. Como norma creo que cuanto más tiempo le dedico a un *sketch* menos mágico resulta.

¿Cómo puedes capturar la viva esencia de un desfile de moda tan rápido? ¿Hay algún truco especial?

Sí, sentir más y pensar menos. Intento abrir todos mis sentidos y absorber cada pista: la música, el andar y la actitud de las modelos, el ambiente y por supuesto la ropa. Cuando dejo entrar todos estos estímulos visuales y sonidos, la creatividad se traslada a mi brazo y a mi pincel, sin dirigir de forma consciente el proceso. El *live sketching* debe sentirse como un acto enérgico y espontáneo.

¿Cuáles son tus herramientas de dibujo tradicionales?

Tengo una pequeña caja de acuarelas portátil y utilizo 2 pinceles de plástico con agua incorporada en el mango; una especie de híbrido entre pincel y rotulador. Utilizar los dos me permite intercambiar colores de forma más rápida. En ocasiones también recurro a un pincel con tinta negra, pensado para su máxima portabilidad y al mismo tiempo aporta un efecto de trazo muy artístico.

¿Has utilizado alguna vez herramientas digitales para realizar ***live runway sketching***?

Sí, para la temporada Otoño/Invierno 2013 en Nueva York, tuve la gran oportunidad de trabajar con el equipo de *FiftyThree*, desarrolladores de *Paper* (***www.fiftythree.com/paper***), una *app* (aplicación) de dibujo para iPad. La *app* resultó ser muy flexible para realizar *live runway sketching*, pues responde muy rápido a los trazos y es sensible a la presión del *stylus* o lápiz utilizado. Creo que el dibujo en pantallas táctiles es el futuro de la ilustración, de momento está en su fase emergente pero se irá sofisticando.

Una vez termina el desfile, ¿añades algún retoque a los bocetos que has realizado o los das por finalizado durante el desfile?

Ocasionalmente hago algún ligero ajuste, para que se vean bien en pantalla al digitalizarlos. De todas formas, resulta imposible recapturar lo esencial, esa calidad y actividad intrínseca del boceto hecho en el momento. Todos mis *sketches* favoritos los había terminado por completo antes de que la modelo abandonara la pasarela.

Figura 2.17. Un ejemplo de *live runway sketch* creado por **Danielle Meder**.

Figura 2.18. Ejemplos de *live runway sketching* creados por **Danielle Meder**.

Además de tu amplia experiencia en *live runway sketching*, eres la creadora de la sofisticada serie de *Paper Dolls* o Muñecas de Papel ilustradas, que representan colecciones de moda históricas y contemporáneas, al estilo de aquellas muñecas de papel que se recortaban antaño. Para dibujar estas originales *Paper Dolls* ¿utilizas algún canon de proporción especial para el figurín base?

Utilizo el canon de las 8 cabezas, el cual es distinto si lo comparamos con la mayoría de figurines de moda que suelen seguir el canon de 9-12 cabezas. En cuanto a las poses que utilizo como base, prefiero utilizar la clásica del modelo caminando sobre la pasarela para darle mayor movimiento que a las tradicionales muñecas de papel. También me gusta experimentar con vistas de perfil y de espalda. La postura o pose del figurín afecta al dibujo y a la posterior colocación de las prendas. Intento evitar posturas complicadas de brazos y piernas para conseguir ajustar bien el vestuario a la anatomía del figurín.

¿Qué software utilizas para crear los figurines y las prendas de tus *Paper Dolls*?

Dibujo primero todo a lápiz para después pasarlo a líneas (*line-art*) con rotuladores de distintos grosores, después escaneo el *line-art* y añado volumen y color con Adobe Photoshop.

Te formaste oficialmente como diseñadora de moda pero finalmente optaste por dedicarte a la ilustración de moda, ¿crees que es necesaria una formación previa en moda?

Todo lo que aprendí de diseño de moda me ha ayudado a realizar mejor mi trabajo. Entender el negocio de la moda, tanto su aspecto histórico como técnico me ha convertido en una mejor ilustradora. Cuando dibujas algo, tienes que fijarte en los detalles más mínimos y entender cómo funciona. Cuanto más observes las prendas y cuanto más leas sobre moda, mejor será tu estilo dibujando. Además de ilustrar moda, también coso, escribo, diseño y enseño. Toda esta variedad de actividades relacionadas, hacen mi profesión mucho más interesante y me otorga mayor autoridad en mi especialidad, estando siempre en constante aprendizaje.

¿Qué consejo darías a los futuros figurinistas o ilustradores de moda? ¿Se puede vivir de la ilustración de moda hoy en día?

Ganarse la vida como ilustrador/-a en el siglo XXI es un reto constante de adaptación a las nuevas tecnologías y a los nuevos tipos de clientes. No es un camino tan directo a la fama y la fortuna como lo era a mediados del siglo XX. El nicho de la ilustración de moda es muy pequeño y tiene bastante que ver con el *show-business* o el mundo del espectáculo que premia a los ilustradores que saben venderse, no solo como artistas o técnicos sino como artistas con personalidad propia. Puesto que la fotografía de moda sigue siendo aún la protagonista, el flujo de encargos no es estable y los ilustradores de moda deben estar continuamente reinventándose y mostrándose al gran público.

Dicho esto, la ilustración de moda supera a la fotografía en un aspecto muy importante: con la ilustración ¡puedes mostrar ideas que aún no existen! Ser un buen intérprete de ideas te permitirá participar como ilustrador en el proceso de diseño, algo que es increíblemente gratificante. Además si amplías tus especialidades realizando, por ejemplo, el dibujo técnico de las prendas en plano (*flat drawing*) te asegurarás tener una buena cartera de clientes y ser más selectivo a la hora de aceptar tus encargos más artísticos, visibles y mediáticos aportando longevidad a tu carrera profesional.

Figuras 2.19. a 2.24. Figurines utilizados como *Paper Doll* o muñeca de papel listos para vestir con distintas prendas, creados por **Danielle Meder** (***http://daniellemeder.com***).

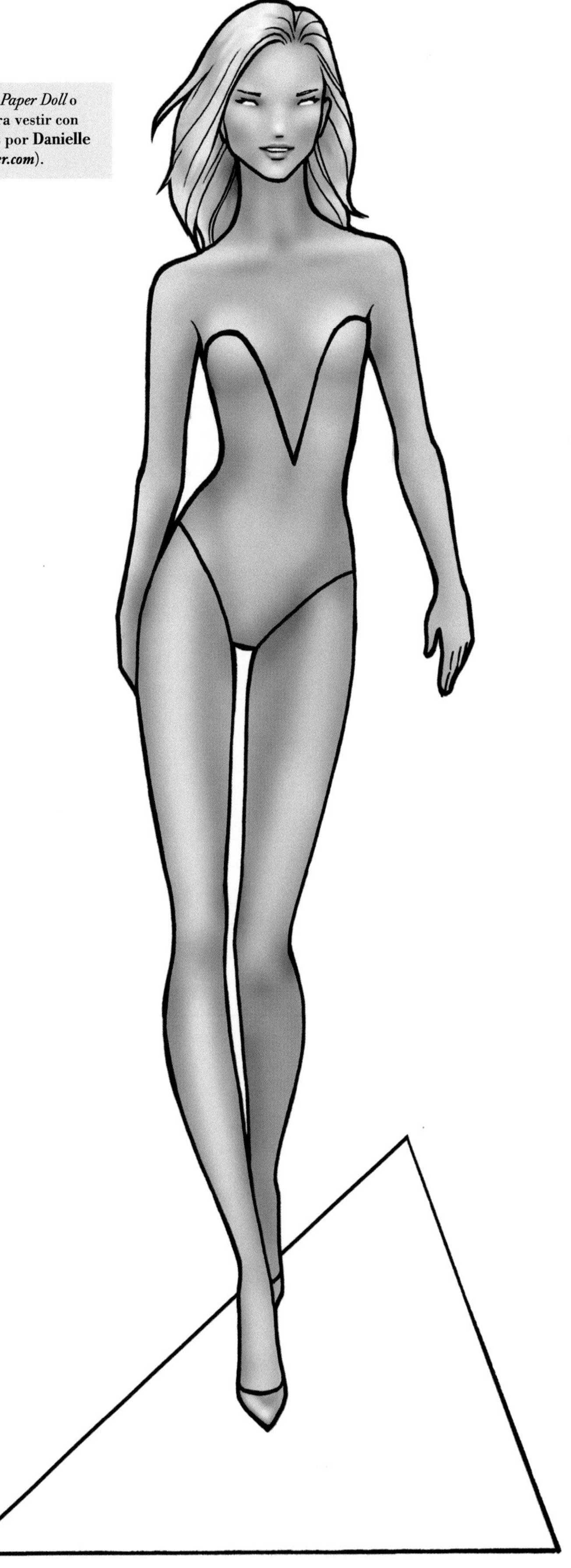

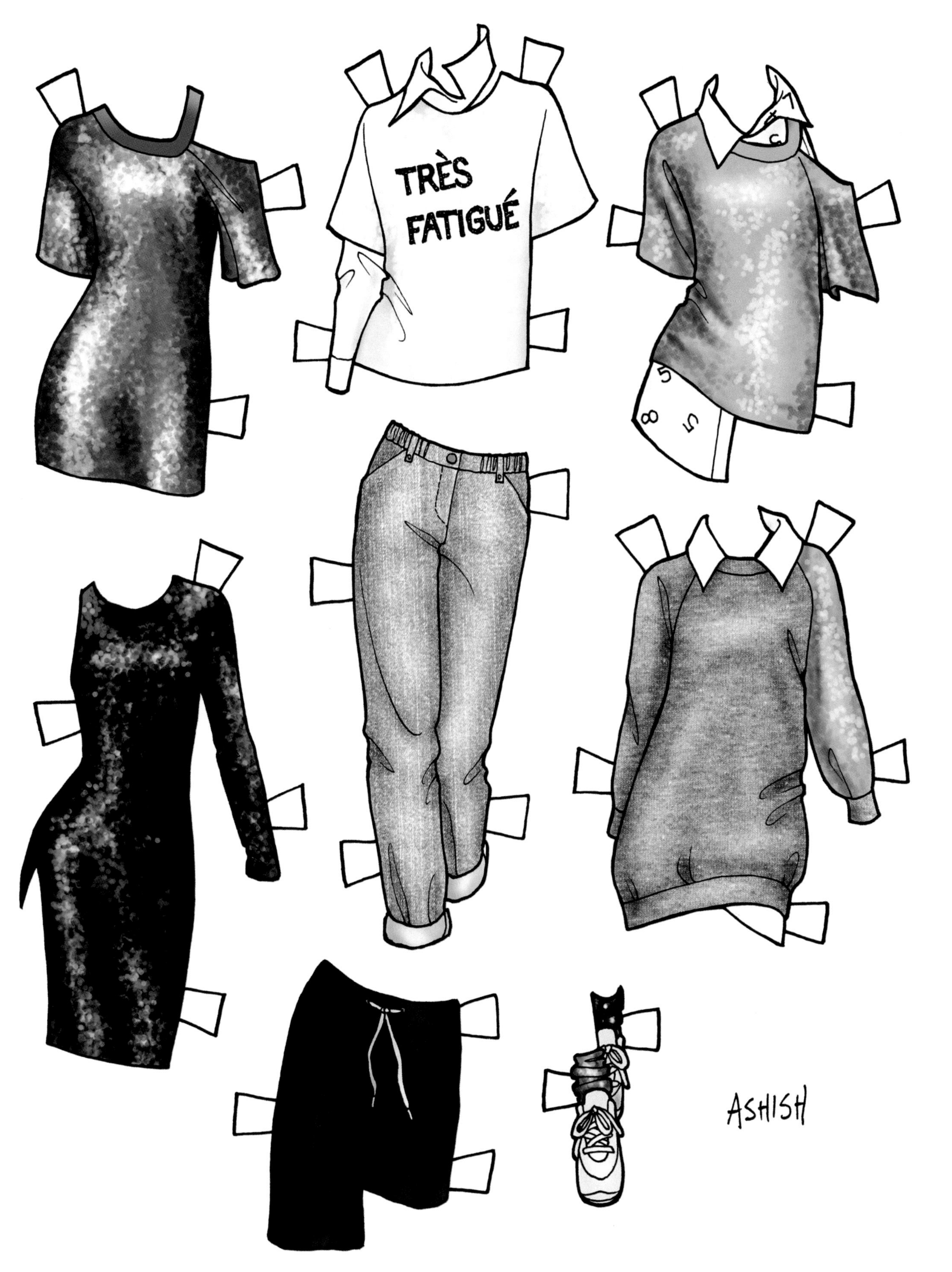
TRÈS
FATIGUÉ
ASHISH

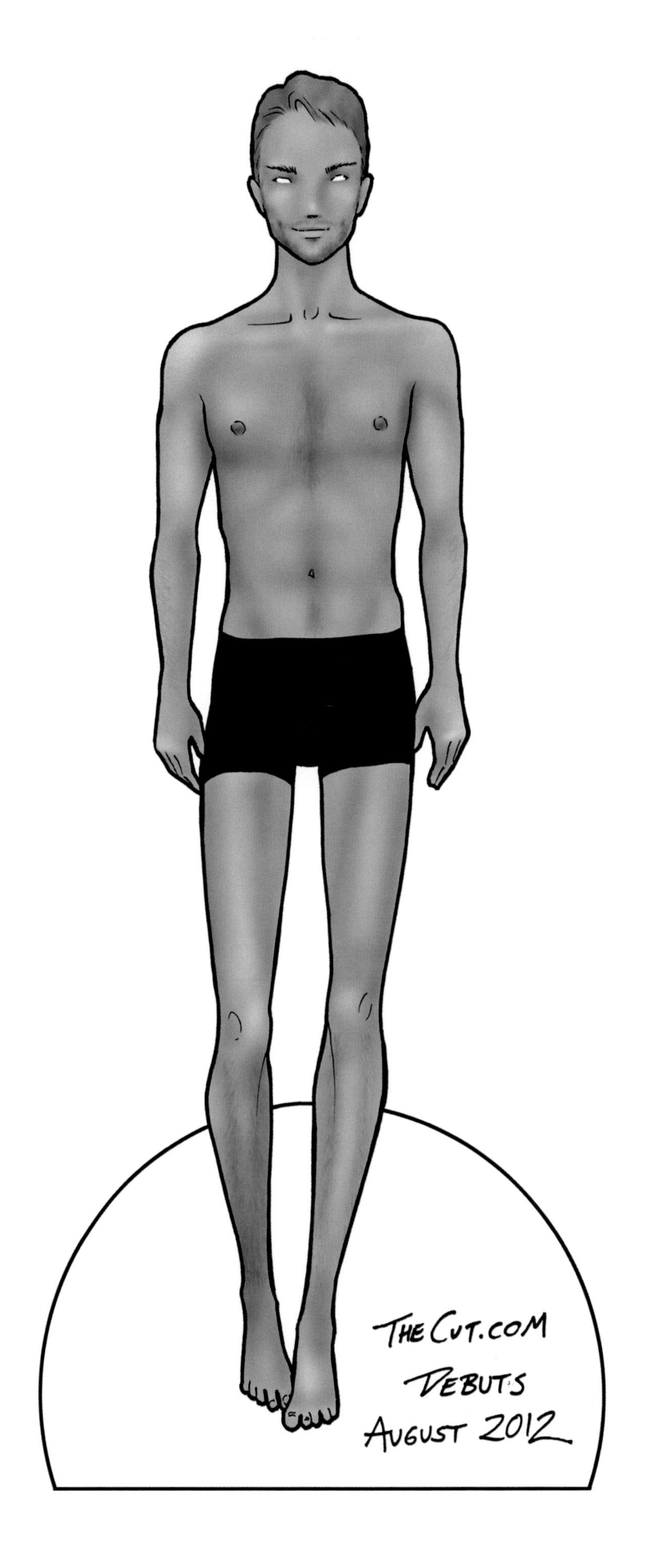
THE CUT.COM
DEBUTS
AUGUST 2012

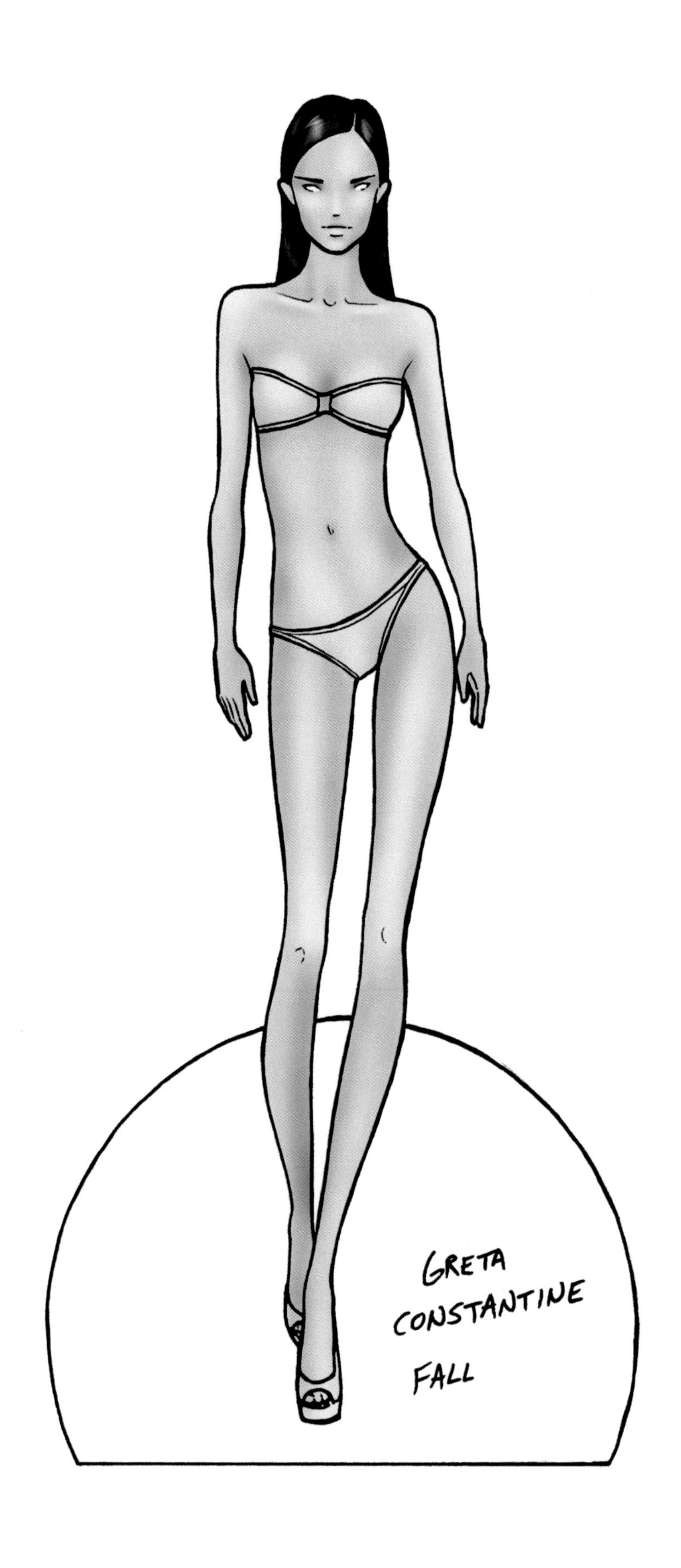
GRETA
CONSTANTINE
FALL

FIGURINES E ILUSTRACIÓN DE TENDENCIAS

Como mencionábamos al comienzo del capítulo, va en aumento la demanda de figurines para ilustrar paneles de tendencias. El crecimiento del número agencias de *coolhunting* y análisis de tendencias requiere también un mayor número de profesionales especializados en la ilustración de tendencias.

La ilustración de tendencias requiere de un mayor grado de especialización, al conjugar la capacidad de interpretación de los análisis e informes de tendencias, junto con las facultades técnicas necesarias para representar gráficamente y con detalle conceptos, prendas, volúmenes y materiales para que puedan ser interpretados fácilmente por fabricantes y suscriptores.

Las agencias de predicción de tendencias, más conocidas como *trend forecasting agencies*, ofrecen a través de pago por suscripción, informes de tendencias o *trend reports* que muestran lo que será tendencia en el futuro con al menos un año de antelación.

Además de permitir a su cliente adelantarse a lo que se llevará para que pueda adaptar sus colecciones y prendas a esas predicciones, también le ofrece la posibilidad de descargar los archivos digitales con los dibujos de figurines, prendas en plano, paletas de color, volúmenes, texturas, estampados textiles y gráficos. De esta forma, al utilizar como base de sus creaciones los archivos digitales proporcionados por la agencia de *trendforecasting*, el cliente puede comenzar a diseñar su próxima colección cuanto antes con mayor garantía de éxito.

Con respecto al figurinismo especializado en la ilustración de tendencias, es muy frecuente que los encargos para ilustrar un panel de tendencias incluyan también el dibujo en plano de las. Por ello, los figurinistas profesionales de esta especialidad dominan tanto el dibujo artístico como el dibujo técnico realizado con medios tradicionales y digitales (ilustración vectorial).

Si hay una agencia de predicción de tendencias líder en el sector, esa es *WGSN* (*www.wgsn.com*) con miles de suscriptores en todo el mundo entre los que se encuentran importantes firmas de moda, publicaciones y centros de enseñanza.

A continuación se incluye la entrevista realizada al equipo del estudio londinense *JAA Design* formado por **John Puddephatt** y **Andrea Trapani**.

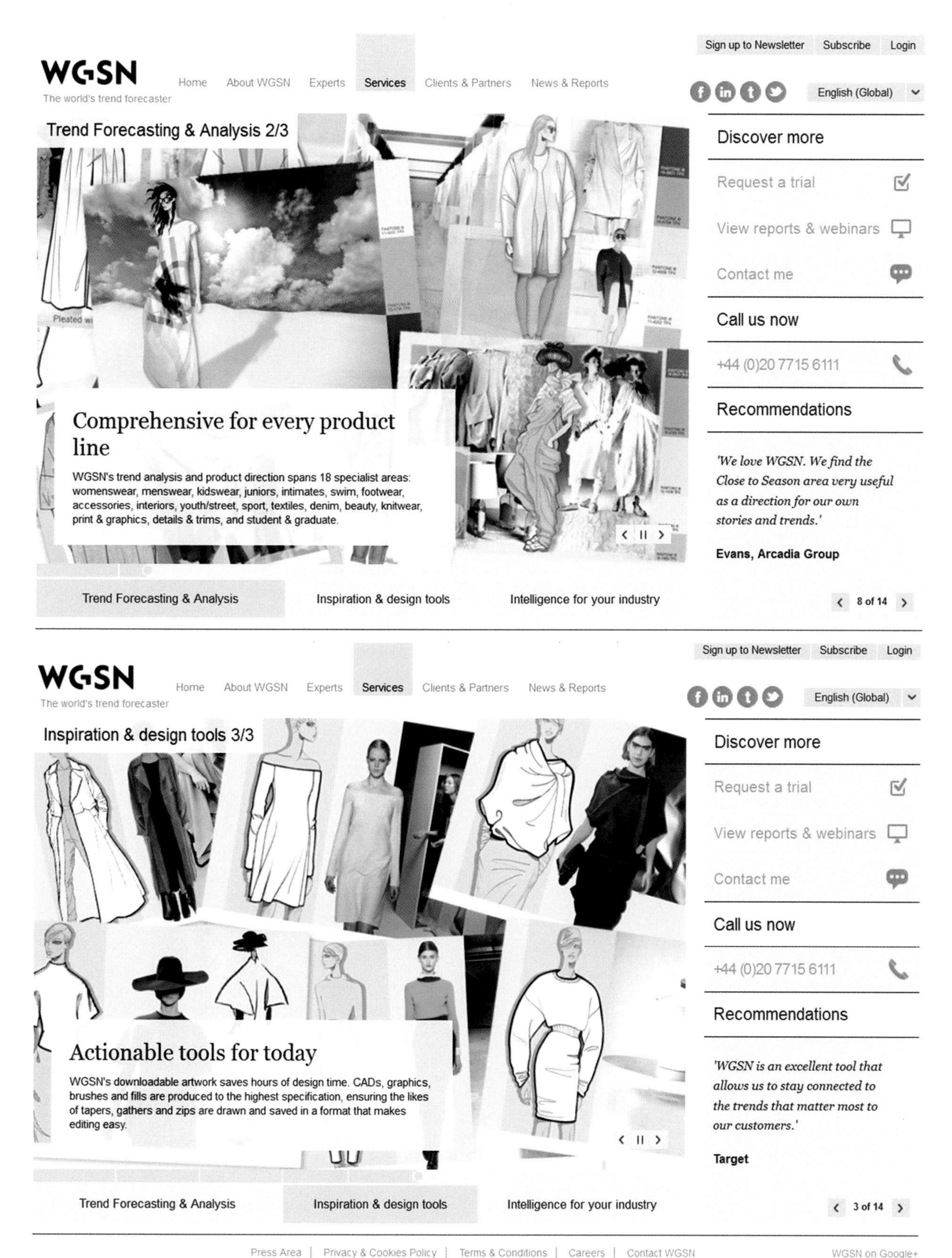

Figura 2.25. El sitio web de *WGSN* (*www.wgsn.com*) donde se muestran algunos de sus paneles de tendencias con figurines.

OPINIÓN EXPERTA: JAA DESIGN PARA WGSN

-*JAA Designs*- Londres

John Puddephatt y **Andrea Trapani**
E-mail: ***andreajaadesign@gmail.com***
http://pinterest.com/jaaillustartion/boards/

John Puddephatt ha trabajado 20 años en la industria de la moda como ilustrador y consultor de tendencias de color. Después de trabajar en Italia durante 15 años para diversas firmas de moda como *United Colors of Benetton*, *Fila*, *Stefanel* y *Valentino*, fundó el estudio *JAA DESIGN LTD* en Londres junto con **Andrea Trapani**, donde continúa su labor como experto en ilustración para paneles de tendencias.

El estudio *JAA DESIGN LTD* se especializa en ilustración de moda, predicción de tendencias y consultoría de color.

En la actualidad *JAA Design* es el estudio responsable de crear las ilustraciones para los reportes de tendencias de hombre y mujer de *WGSN*, la agencia líder en predicción de tendencias.

Como ilustrador de moda especializado en el dibujo de figurines para paneles y reportes de tendencias ¿algún consejo para representar el movimiento en la figura?

Me gusta representar el movimiento a través de las prendas, intento evitar en la medida de lo posible las típicas poses de moda, es más, busco algo casi `extraño´ en la postura, algo diferente. De esta forma, logro figurines más atemporales. A veces consigo ese toque diferente añadiendo una simple línea o trazo para dirigir la mirada de la ilustración y dar sensación visual de movimiento, puedo añadir esa línea en el fondo utilizando como inicio un simple punto en un pliegue de la tela.

Casi siempre dibujo los figurines de cuerpo entero y con los pies en el suelo, para dar la sensación de espacio.

Con su amplia experiencia en dibujo de figurines de hombre y mujer, ¿hay algún truco para dotar de personalidad a los figurines?

Primero, dibujar muchísimos, tanto figurines de hombre como de mujer, prestando atención al entallado y proporción de las prendas sobre el cuerpo, tratando de mantener en conjunto una actitud *cool*.

¿Puedes describir paso a paso el proceso que sigues para crear un figurín?

Para crear figurines que se utilizarán en paneles de tendencias o *trendboards* y que representarán tendencias venideras, utilizamos sobre todo archivos de referencia para comenzar a dibujar. Estos archivos de referencia provienen de recortes de revistas, fotografías, obras de arte e imágenes que localizamos o `cazamos´ tanto en el mundo real como en Internet. En la pantalla del ordenador mantenemos esas imágenes a la vista, como referencia visual para después comenzar a realizar bocetos en papel. Inicialmente hago un boceto rápido con un lápiz de mina blanda sobre el papel, después a diferencia de otros ilustradores, elimino lo que no me gusta, dejando únicamente lo que me interesa en la ilustración, añadiendo y quitando líneas hasta que logro el resultado esperado. Una vez que el boceto del figurín está listo, se lo paso a mi colaborador Andrea Trapani, para que lo escanee y le dé los toques finales con Adobe Photoshop. Todo este proceso lo hacemos en muy poco tiempo, los plazos de entrega de esta profesión siempre son cortos; tratamos, en la medida de la posible, no dedicar demasiado tiempo a cada figurín, algo que le acaba otorgando un aspecto fresco y desenfadado a la ilustración final.

Figura 2.26. Ejemplos de figurines en paneles de tendencias o *trendboards* creados por **John Puddephatt** de *JAA Design*.

¿Qué herramientas de dibujo tradicional utiliza?

Utilizo un lápiz *Pentel P209* de mina blanda de 0,9 mm porque no necesito nitidez en los trazos.

¿Cuánto tiempo les lleva dibujar y finalizar un figurín?

Lo cierto es que solemos trabajar en el dibujo de varios figurines al mismo tiempo, nos gusta dibujar rápido, aunque un figurín a color puede llevarnos un día finalizarlo.

Tenéis una forma muy particular de representar las texturas de tejido y cabello ¿puede describir la técnica utilizada?

Creamos casi todas las texturas con Adobe Photoshop, a base de muchas pruebas de ensayo y error para lograr que parezcan lo más naturales y frescas posibles. Después añadimos sombras y reflejos para dotar al figurín de profundidad y movimiento. Con respecto a la representación del pelo, solemos dejar como base los trazos a lápiz que coloreamos sutilmente con un pincel con transparencia, mezclando tonos. En ocasiones también dejamos espacios en blanco, sin colorear para simular brillos. A la hora de trabajar los detalles lo hacemos con un gran zoom sobre la zona, para añadir los elementos más minuciosos.

Para finalizar, ¿qué consejo le darían a quienes están comenzando en el mundo de la ilustración profesional de moda?

Que estudien las prendas y sus acabados de tal modo que puedan dibujarlas correctamente y con exactitud, desde los cierres, las costuras, los cortes, la proporción de los bolsillos, etc. En mi opinión, los mejores ilustradores de moda a lo largo de la historia, han sido aquellos capaces de comprender cómo estaban confeccionadas las prendas y entendían el peso y la caída de los tejidos sobre el cuerpo, además de conocer bien los volúmenes de su época o era.

Como consejo final, les recomendaría que sean muy versátiles y muy pacientes.

Figuras 2.27. a 2.37. Figurines de distintos paneles de tendencias de hombre/mujer y lencería, creados por **John Puddephatt** de *JAA Design*. En ellos se pueden apreciar distintos tipos de poses poco convencionales junto a figurines utilizados para representar las tendencias en volúmenes y siluetas de las prendas.

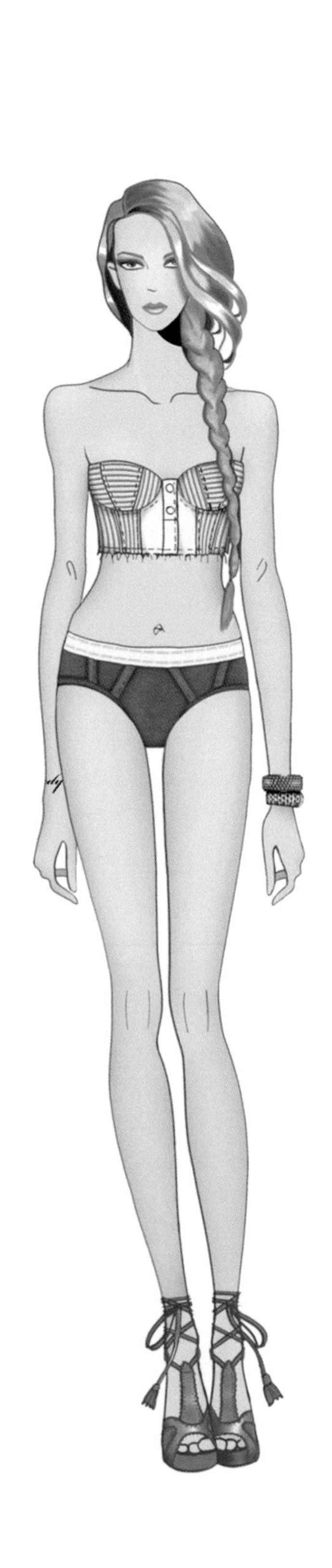

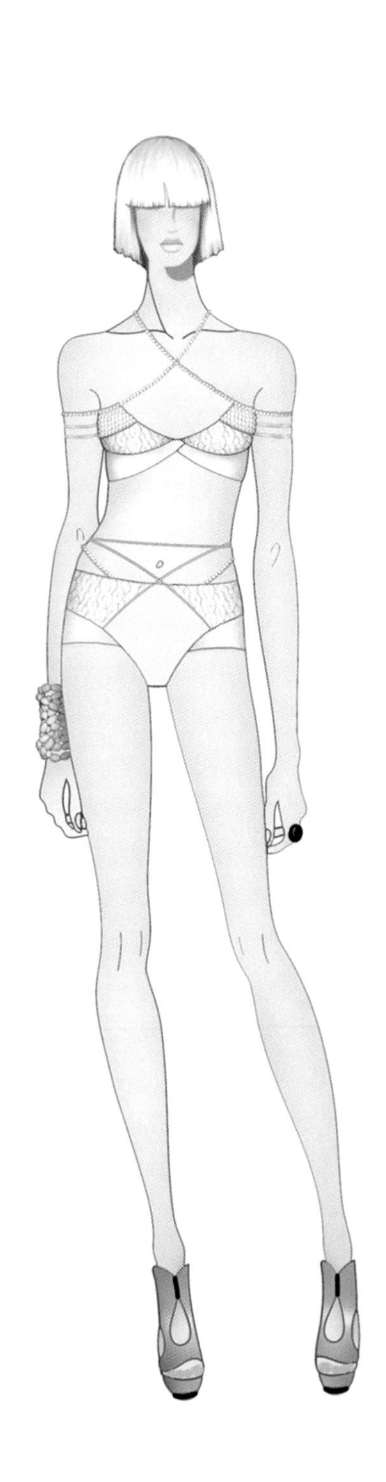

PORTFOLIO Y PROMOCIÓN ON-LINE

Como ha podido comprobar son muy variados los distintos perfiles de figurinista e ilustrador de moda; el futuro de la profesión tiende cada vez más hacia la especialización, aunque sin duda el figurinista que sea capaz de ilustrar encargos de diseñadores de moda, editoriales y agencias de tendencias, se asegurará tener una buena cartera de clientes. De todos modos, como en todas las profesiones es necesario estar en constante exposición, mostrando a posibles clientes sus capacidades y aptitudes profesionales.

Una de las ventajas de dedicarse a la ilustración en la era digital es la posibilidad de trabajar para cualquier cliente, independientemente de donde se encuentre geográficamente. Las ilustraciones y figurines pueden enviarse digitalizados por vía telemática, lo cual agiliza enormemente los procesos de edición o posterior publicación. Al poder ofrecer sus servicios de ilustración de forma global, la exposición de su portfolio también debe ser global para así lograr mejores resultados y encargos.

Siempre es recomendable disponer de su propio dominio web o página en redes sociales con muestras de sus trabajos de ilustración. Aunque si está empezando, tal vez prefiera comenzar creando un *portfolio* gratuito dentro de las comunidades especializadas en ilustración de moda.

Desde el año 2000 *StylePorfolios* (***www.styleportfolios.com***) es la comunidad especializada en ilustración de moda. Alberga miles de portfolios digitales de diseñadores, clasificados por categorías (moda hombre, mujer, infantil, calzado, accesorios, estampados textiles, etc.) es sin duda una buena comunidad para darse a conocer entre profesionales de la industria.

Otra comunidad muy popular, con sección específica dedicada a los e-portfolios de moda (*fashion - apparel*) es **Coroflot** (***www.coroflot.com***) comunidad que también permite alojar gratuitamente porfolios de ilustración. En todos los casos, maximice su visibilidad y la de sus ilustraciones en Internet, utilice las redes sociales para mostrar sus nuevos trabajos y mantener informados a posibles clientes.

La profesión de figurinista e ilustrador de moda es, como todas las profesiones creativas, muy gratificante, si une su talento personal, al tesón, el esfuerzo y la seriedad, podrá llegar a convertirse en un gran figurinista.

Figura 2.38. La comunidad on-line ***Styleporfolios.com*** donde puede publicar gratuitamente su e-porfolio de ilustración de moda.

CAPÍTULO 3

DIBUJO DEL FIGURÍN

El dibujo es el soporte esencial de la gran mayoría de prácticas artísticas incluido el diseño. En el mundo de la moda, el dibujo es la forma de expresión fundamental para convertir una idea o concepto intangible en una prenda de vestir.

Aunque algunos diseñadores y modistos trabajan con los tejidos directamente sobre un maniquí, creando sobre la marcha prendas de corte artesanal, la inmensa mayoría utiliza el dibujo en todo el proceso de diseño.

Tener una buena relación con el dibujo le permite al diseñador de moda una mejor comunicación de sus ideas, al poder representar gráficamente, de forma más clara y descriptiva todos los conceptos y elementos necesarios para la confección de la futura prenda. También facilita la presentación de ideas al futuro cliente.

Una simple hoja en blanco estimula la creación y la experimentación, es el soporte perfecto para volcar lo previamente imaginado en la mente del diseñador. Es un proceso que traslada lo inmaterial a un espacio material.

El acto creativo se ha elevado a la máxima expresión. En estos momentos con una buena idea y un simple lápiz se puede alcanzar el reconocimiento internacional; el talento no entiende de fronteras gracias a Internet. Nunca antes se habían tenido tantas posibilidades creativas, contamos con un bagaje artístico y cultural de miles de años; es posible inspirarse en movimientos artísticos y culturales de toda índole. Tampoco hay limitaciones técnicas, disponemos de todo tipo de herramientas tradicionales de dibujo y pintura a las cuales se han sumado las novedosas herramientas digitales. Estos factores han transformado la forma y el método para crear figurines.

En la actualidad el diseñador de moda utiliza el figurín como base gráfica para representar sus diseños, pero también como medio de expresión artística, para comunicar estados de ánimo, preferencias estéticas y hasta aspectos de su propia personalidad.

Observar las técnicas de dibujo y los estilos de representación de otros diseñadores de moda le ayudará a descubrir y definir las características de su propio figurín, un figurín distintivo, que le identifique y diferencie de los demás.

EL CANON DE PROPORCIÓN

Para dibujar correctamente un figurín de moda es necesario tener un conocimiento básico de las proporciones del cuerpo humano. No se puede olvidar que por muy innovador que sea el diseño de una prenda de vestir al final tendrá que ajustarse al cuerpo, el verdadero portador de los diseños.

Un factor importante para su estudio y representación es el canon de proporción, un código orientativo que establece el conjunto de proporciones ideales de la figura humana dividiéndola en sectores denominados módulos que facilitan la distribución proporcional de los miembros del cuerpo.

En la Antigüedad el concepto de belleza se basaba en la proporción y la armonía, lo cual derivó en la utilización de ciertas normas y cánones para la correcta representación la figura humana. Los artistas griegos, ajustaban la altura de sus esculturas a la medida de la cabeza que empleaban como unidad de referencia para definir las subdivisiones; de tal modo que la altura total del cuerpo ideal comprendía 8 veces la medida de la cabeza. En el Renacimiento se avanzó en el estudio de las proporciones ideales del cuerpo humano. El propio **Leonardo Da Vinci**, realizó un estudio anatómico buscando la proporcionalidad del cuerpo humano. Buscaba el canon clásico o ideal de belleza, para lo cual retomó los estudios de **Vitruvio**, creando finalmente *El Hombre de Vitruvio* la más famosa representación artística del canon de las proporciones humanas.

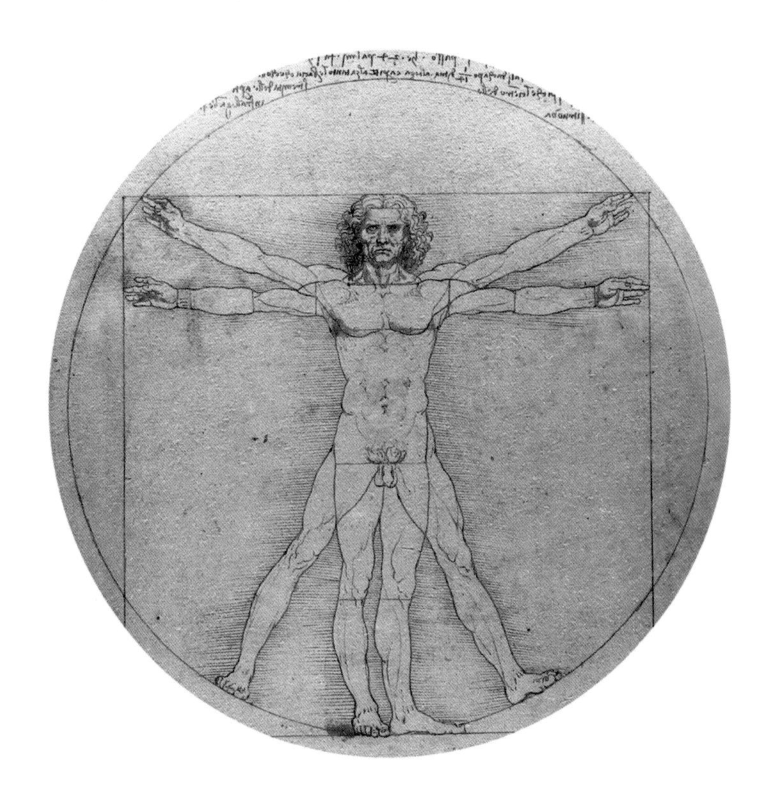

Figura 3.1. *El Hombre de Vitruvio* de **Leonardo Da Vinci**. La cabeza, desde la barbilla hasta su coronilla, mide la octava parte de todo el cuerpo, por lo tanto la figura tiene una altura de 8 cabezas.

CANON GRIEGO MODIFICADO

A lo largo de la historia, artistas y científicos han establecido diversos cánones adecuados a su tiempo y al concepto figurativo de la época. Para el dibujo de figurines de moda se suele seguir el canon de proporción griego con ligeras variantes. En él la altura total de un cuerpo con proporciones ideales es de 8 cabezas. Como el figurín de moda requiere una estilización mayor, para dotar de elegancia y esbeltez a la figura se modifica el código griego empleando para el trazado de la figura, una altura aproximada de 9 ó 10 cabezas.

De todos modos resulta improcedente seguir unas fórmulas exactas para solucionar la armonía de las proporciones del figurín de moda. Finalmente dependerá del gusto y sensibilidad del diseñador, la responsabilidad final para crear un figurín de proporciones armoniosas y estilizadas.

TRANSFORMACIÓN DE LA FIGURA HUMANA EN FIGURÍN

La creación de figurines de moda convencionales consiste básicamente en la deformación o estilización de la figura humana.

En primer lugar se emplea como guía de proporción, el canon griego modificado, dibujando la figura con una altura total mínima de 9 cabezas, 1 cabeza más en comparación con la altura de la figura en el canon griego.

En la mayoría de las ocasiones esa altura extra se añade en la parte inferior del cuerpo, a continuación de la línea de cintura, de ahí que los estereotipos de figurines de moda se caractericen por el largo de sus piernas.

Al aumentar el largo de las piernas, a veces es preciso estrechar el ancho de la figura para conseguir un resultado más armónico y esbelto.

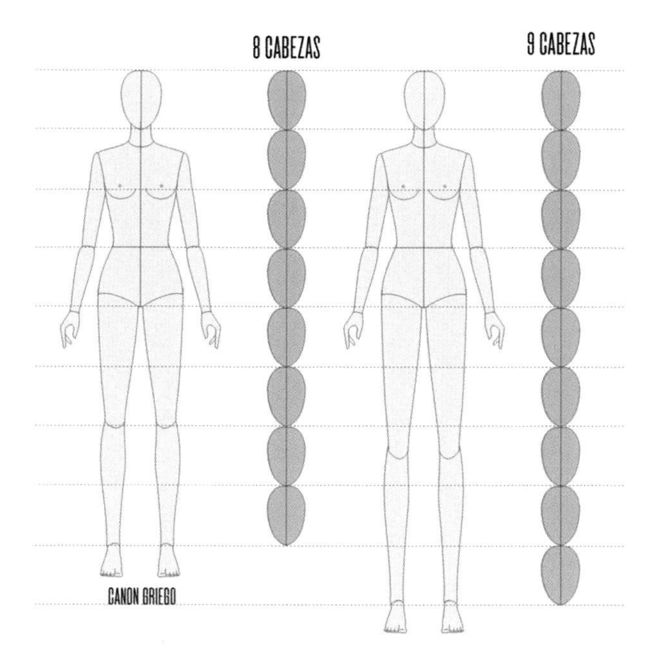

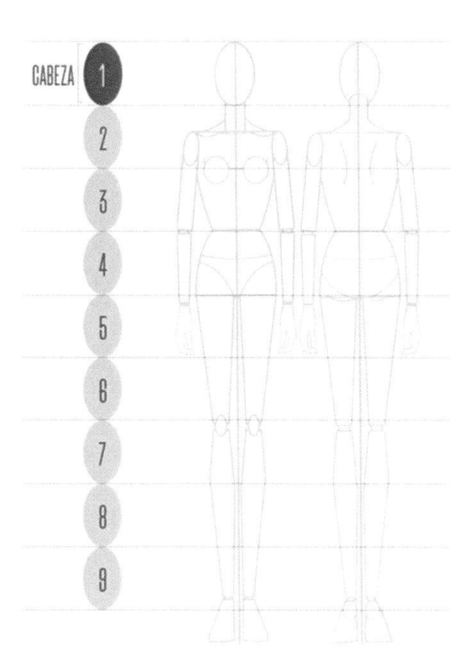

Cabe recordar que un figurín es ante todo una estilización de la figura humana, el diseñador puede elegir dibujar figurines con proporciones más realistas o exagerarlas de forma artística, priorizando la deformación de algunas zonas del cuerpo. No se trata de representar fielmente la figura humana sino de interpretarla libremente para generar un estilo propio que acentúe el concepto y se centre en el diseño de las prendas.

Figura 3.4.

Impactante campaña publicitaria contra la anorexia creada por el estudio *Revolution Brazil*, para la agencia de modelos *Star Models* titulada *Tú no eres un sketch*. Es obvio que en el dibujo de figurines no se busca la fiel representación de la anatomía humana, tal y como se observa en esta dramatización gráfica que convierte 3 figurines de moda en modelos de carne y hueso.

EL CROQUIS

Una práctica común a la hora de dibujar el figurín de moda es la de comenzar dibujando un croquis o boceto rápido del cuerpo como referencia visual y base gráfica sobre la que continuar creando el resto de detalles del figurín vestido. El croquis permite calcular el espacio en la lámina de dibujo y la distribución proporcional de los elementos constitutivos del figurín. Con frecuencia el croquis base se realiza a lápiz con trazos ligeros que puedan borrarse fácilmente una vez que no se necesiten, ya sea porque se ha dibujado la prenda de ropa que cubre esa zona del cuerpo o porque sencillamente el autor ha preferido cambiar sutilmente la postura de su figurín.

En la actualidad también se denomina croquis de moda, a las plantillas de figurines desnudos, previamente dibujados por otros artistas, optimizadas para comenzar a diseñar prendas sobre ellas.

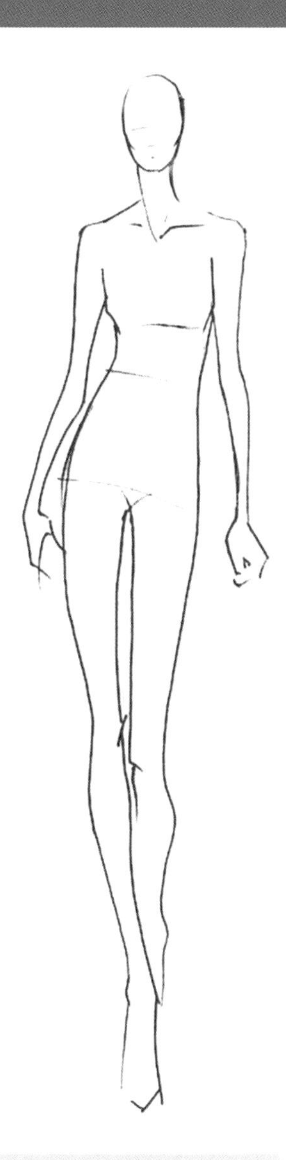

Figura 3.5. Un croquis o boceto rápido del cuerpo.

Figura 3.6. Dibujando sobre un croquis. Ilustración de **Yoyo Han** (***http://be.net/yoyo-hanb5ad***). Georgia, USA.

EL SKETCHBOOK

Los diseñadores de moda dibujan sobre el papel que tengan a mano su idea para un diseño. Para estar preparados para esa visita repentina de las `musas de la creatividad', suelen llevar consigo una libreta o bloc de bocetos, más conocida en el mundillo como *fashion sketchbook*. Hace unos años un *sketchbook* era simplemente una libreta donde dibujar y hacer anotaciones, pero con el paso de los años se ha ido sofisticando y sobretodo especializando. Actualmente es posible encontrar en el mercado *sketchbooks* con páginas que ya incorporan croquis o plantillas base, listas para comenzar a dibujar. Además de las plantillas, incluyen información de interés para el diseñador de moda; como métodos para tomar medidas, descripciones de tejidos, tipos de costuras, glosarios de terminología relacionados con la confección de prendas de vestir, etc.

Figura 3.7. Figurines de estilo croquis ya vestidos creados por **Naomi Alessandra Schultz (*http://inkbramble.com*)**. California.

Figura 3.8. Imágenes del *sketchbook Mi bloc de moda* de **Cynthia Smith** (***http://www.cynthiasmith.com.ar***).

Figura 3.9. La popular libreta de bocetos o *sketchbook Fashionary* (***http://fashionary.org***).

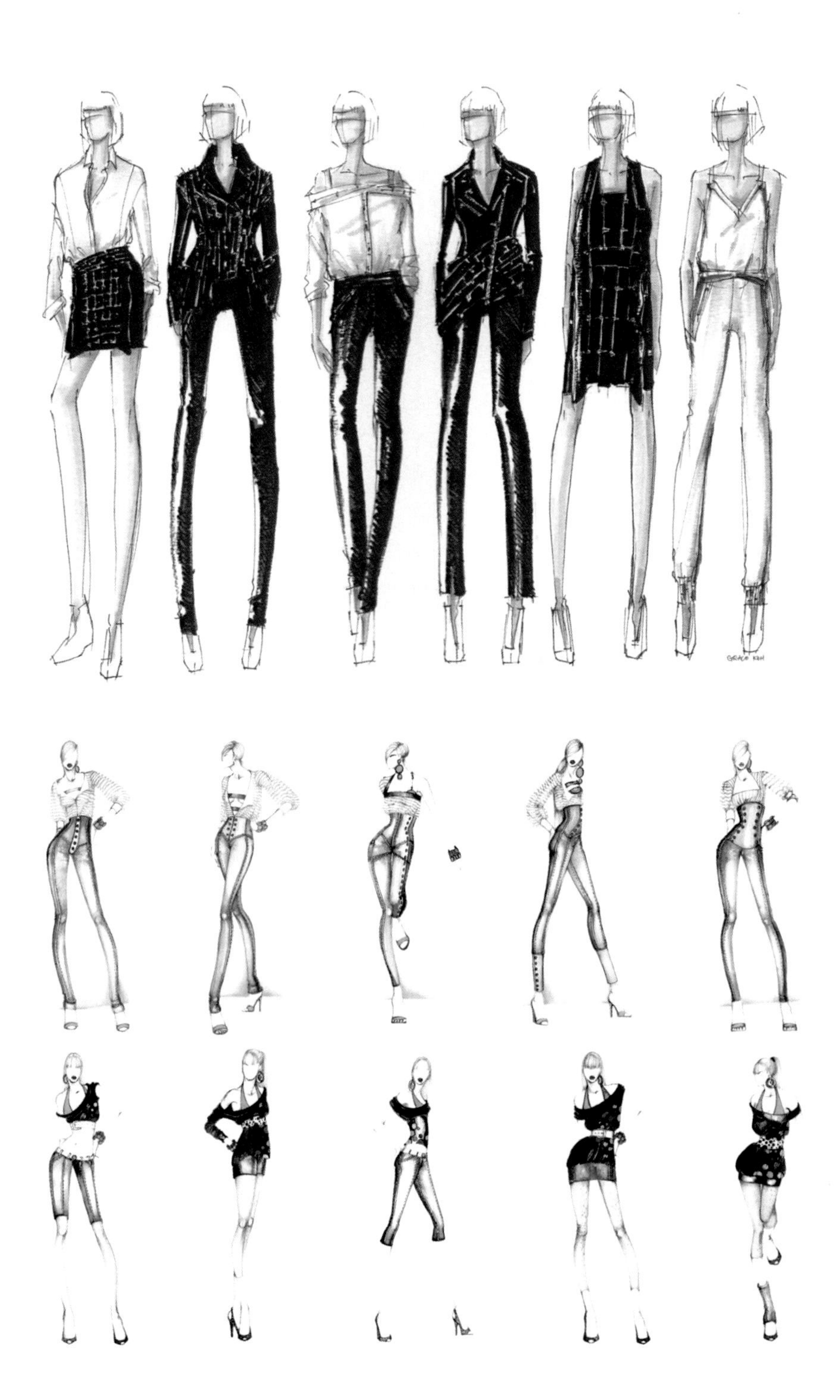

Figura 3.10.

Grace Koh (*www.gracekp.com*) Nueva York.

ANÁLISIS DE PROPORCIÓN

Para familiarizarse con el canon de proporción utilizado en el diseño de moda, es recomendable analizar detenidamente los figurines que encontrará a continuación. Trate de calcular la altura en módulos de cada ejemplo y recuerde que el resultado lo tendrá que cuantificar en número de cabezas. Observará que cada diseñador tiene su manera de aplicar el canon de proporción a sus figurines.

Figura 3.11.

Andreea-Laura Muntean (*www.dushky.com*) Rumanía.

Figura 3.12. **Mengjie Di** (http://mengjiedi.blogspot.com) USA.

Figura 3.13. **Candace Napier** (***http://candacestudio.com***) Nueva York.

Figura 3.14. **Hayden Williams** (http://***haydenwilliamsillustrations.tumblr.com***) Londres.

For Givenchy

For Givenchy

Figura 3.15. **Olga Semchenko** (***http://olgasemchenko.com***) Polonia.

EL FIGURÍN SINTETIZADO

El vertiginoso ritmo de la moda y la presentación de colecciones cada temporada ejerce una indudable presión sobre los diseñadores, obligados a agilizar todos sus procesos. Cuando se trata de dibujar un figurín, son muchos los diseñadores que optan por el trazado de un figurín de líneas sencillas reduciendo a la mínima expresión la figura humana. Este tipo de figurines se caracteriza por la síntesis de formas y la escasez de detalles. Pueden parecer croquis inacabados pero sirven igualmente a su función principal, la de soporte gráfico para el diseño de prendas de vestir. Los figurines de este estilo pasan a un segundo plano siendo las prendas dibujadas las verdaderas protagonistas de la ilustración.

RUPTURA DE ESTEREOTIPOS

El sector de la moda nunca se caracterizó por seguir normas y convencionalismos, todo lo contrario, los diseñadores de mayor éxito son quienes en algún momento se han atrevido a ser originales, a transgredir e innovar. Si bien es cierto que para romper las normas primero es necesario conocerlas, una vez haya comprendido la correcta aplicación de los cánones y estereotipos a sus figurines llegará el momento de experimentar libremente con la proporción de sus elementos. Exagere al máximo el tamaño de la cabeza, modifique el largo del cuello, extienda los brazos a largos imposibles, dé rienda suelta a su creatividad. La experimentación práctica es el camino más directo para el descubrimiento del estilo de su figurín.

Figura 3.16. **Joseph Larkowsky** (***www.jlarkowskyillustration.com***) Londres.

PERSONALIZACIÓN DEL FIGURÍN

El figurín de moda sirve como soporte para mostrar la silueta, el corte o los detalles de la prenda diseñada pero a su vez también puede comunicarnos características del futuro cliente o del sujeto portador de las prendas. En muchos casos el figurín representa el ideal de mujer o de hombre del diseñador de moda, ese `cliente perfecto´ que motiva e inspira al creador de moda.

Al dibujar figurines con ciertas actitudes, gestos o poses se consigue reforzar el estilo y el concepto central de la prenda o colección representada.

Figura 3.17. **Joseph Larkowsky** (***www.jlarkowskyillustration.com***) Londres.

Figura 3.18. Estilización de un figurín basado en los personajes de *Marvel* por **Sashiiko-Anti** (***http://sashiiko-anti.deviantart.com***) Rusia.

DETALLES CORPORALES

Cuando el tiempo lo permite y sobre todo cuando se trata de añadir una actitud o estilo en particular al figurín, resulta necesario dibujar ciertos detalles corporales para dotarlo de personalidad.

Al observar los distintos ejemplos de figurines de este libro se percatará de que algunos diseñadores prefieren dibujar tan solo algunos detalles del cuerpo de sus figurines. Puede que sean los ojos, los labios, el cabello, los brazos o una combinación de elementos.

Figura 3.19. *Welcome to London*, ilustración de **Hayden Williams**. (***http://haydenwilliamsillustrations.tumblr.com***).

Figura 3.20. Dibujo de detalles faciales por **Candace Napier** (***http://candacestudio.com***) Nueva York.

Figura 3.21.

Bocetos de detalles faciales por Ilustración de **Yoyo Han** (***http://be.net/yoyo-hanb5ad***) Georgia, USA.

DETALLES FACIALES

De todos los elementos para personalizar un figurín, el que aporta más carácter son los ojos, una mirada es capaz de dotar de vida a la ilustración, siendo a la vez, el elemento más difícil de representar. Observe en los siguientes ejemplos, como algunos diseñadores prestan gran atención al dibujo los ojos, detallando los párpados, pupilas, pestañas y hasta las sombras de maquillaje.

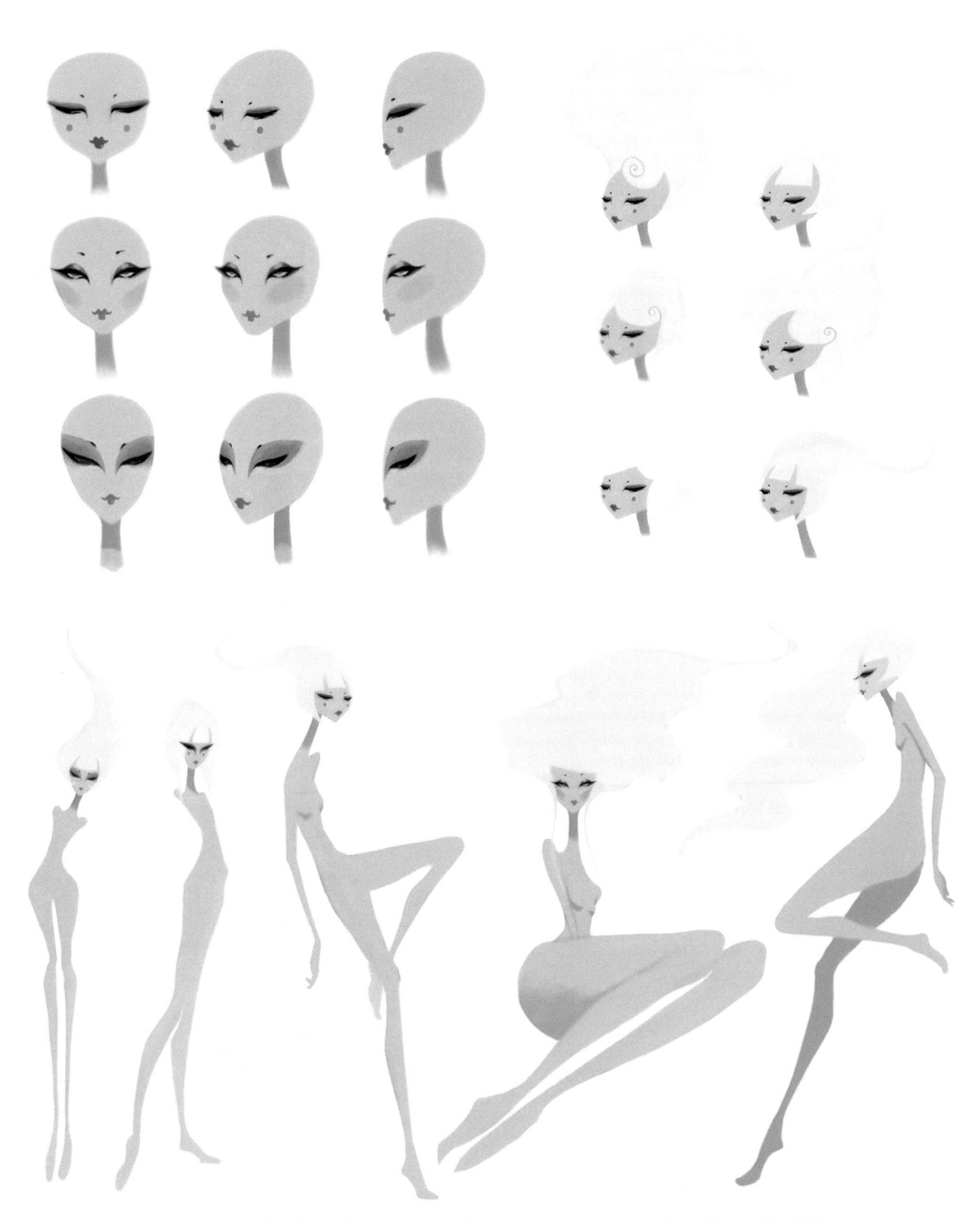

Figura 3.22. Exploración de detalles faciales, peinados y posturas por **Velwyn Yossy** (***http://velwyn.com***) California.

Figura 3.23.

Maquillaje teatral por por **Velwyn Yossy** (***http://velwyn.com***) California.

Figura 3.24.

Dibujo de detalles faciales con actitud por **Baiba Ladiga** (***www.ladiga.com***) Shanghai, China.

Figura 3.25.

Dibujo de detalles faciales mediante líneas por **Moisés Quesada** (***http://moisesquesada.blogspot.com***) República Dominicana.

Figura 3.26.

El color centra la atención en los detalles por **Baiba Ladiga** (***www.ladiga.com***) Shanghai, China.

PEINADOS Y TOCADOS

Al igual que en un desfile o sesión fotográfica es necesaria una sesión de peluquería y maquillaje previa, en el dibujo de figurines también se puede acompañar el diseño con un elaborado peinado o tocado. A lo largo de la historia, la evolución de los peinados ha seguido un ritmo paralelo al de la historia del traje. En la mayoría de las ocasiones, cuando un diseñador añade un tocado o peinado elaborado a su figurín es porque quiere dotarlo de mayor originalidad. La exageración de peinados y tocados es una tendencia en alza a la hora de ilustrar figurines. Para muestra los ejemplos siguientes.

Figura 3.27. Observe que para centrar la atención en los tocados se prescinde del dibujo de los ojos, ilustración de **Naomi Alessandra Schultz** (***http://inkbramble.com***) California.

Figura 3.28. Evolución del peinado y maquillaje en una ilustración de **Moisés Quesada** (***http://moisesquesada.blogspot.com***) República Dominicana.

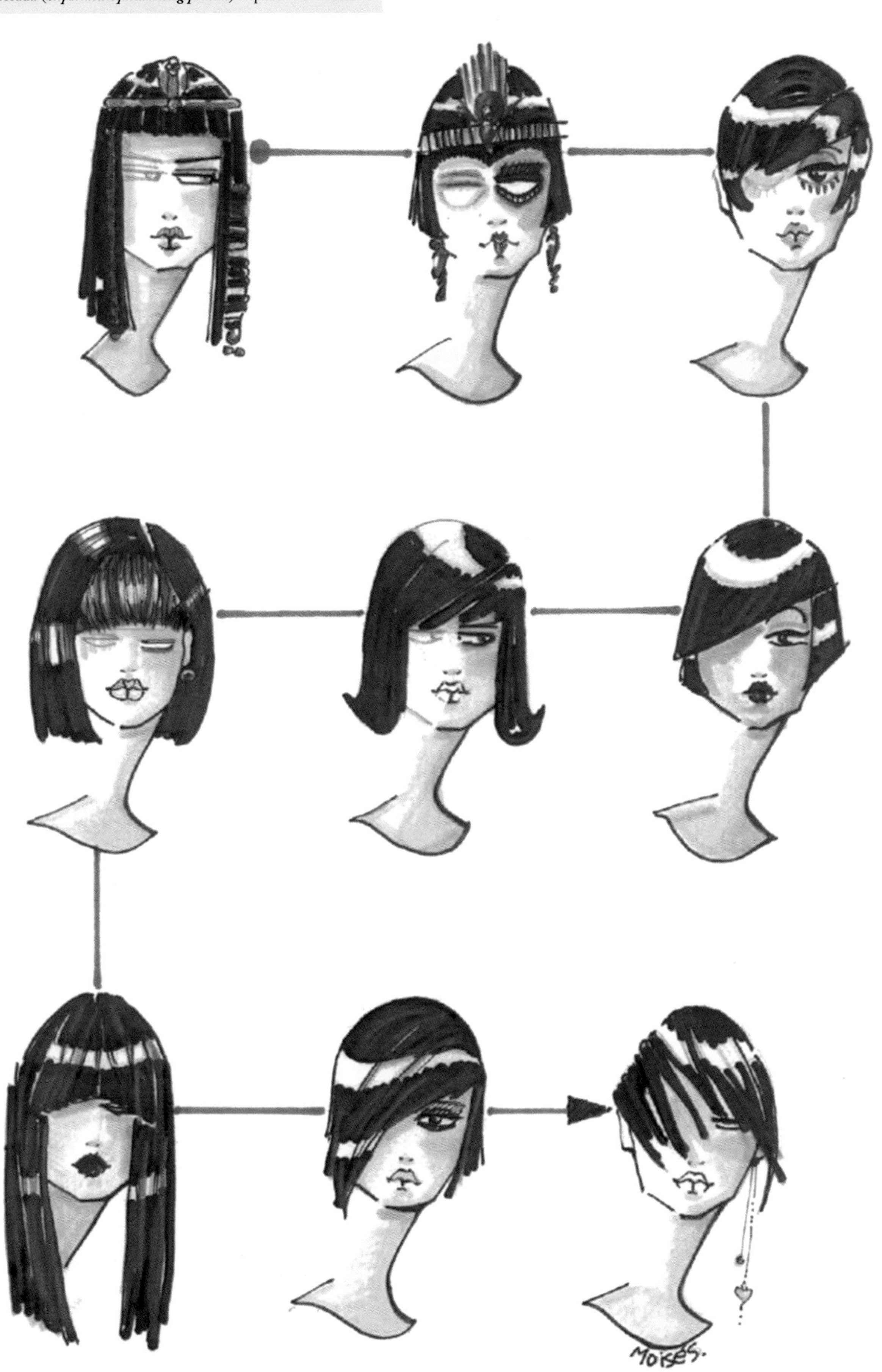

Figura 3.29. Maquillaje y peinado a juego con las prendas de los figurines, ilustraciones de **Sunny Gu** (***http://sunnygu.com***) California.

Figura 3.30. Increíbles ilustraciones a lápiz de **Mei Zhen Xu** (***http://behance.net/meizhen***) Londres.

Figura 3.31. Los originales tocados de **Sunny Gu** (***http://sunnygu.com***) California.

RASGOS ATÍPICOS

A los diseñadores de moda les gusta innovar, más aún a la hora de ilustrar el figurín; no en vano la gran ventaja de la ilustración frente a la fotografía es que permite representar cualquier forma imaginable independientemente que exista o no en el mundo real. Si decimos que no hay límites a la hora de crear, ¿por qué habría que limitar el dibujo de figurines a los rasgos humanos?

En la actualidad hay diseñadores que captan la atención del gran público precisamente por presentar sus diseños de formas poco convencionales, tanto en bocetos previos de colección, como en desfiles que son todo un espectáculo visual. A continuación aparecen algunos ejemplos de figurines que muestran rasgos de animales e incluso de *zombies*.

Figura 3.32. Colección presentada en figurines con cabeza de animal y pezuñas, creada por **Baiba Ladiga** (***www.ladiga.com***) Shanghai, China.

Figura 3.33. Ilustraciones de **Rebeca Losada** (***http://rebecalosada.tumblr.com***) Galicia, España.

Figura 3.34.

Figurines estilo *zombie* de **Lara Wolf** (***www.larawolf.com***) Georgia, USA.

POSES DEL FIGURÍN

Las modas son pasajeras, tal y como diría Coco Chanel "**Las modas pasan, sólo el estilo permanece**". A lo largo de la historia del figurín de moda hemos visto como las posturas de los mismos, se adaptaban al estilo y a los trajes de su época. No existe una postura de figurín perfecta capaz de permanecer sin cambios en el tiempo, tendrá que evolucionar de acuerdo con las prendas a mostrar. Sin embargo hay ciertas poses convencionales utilizadas con cierta frecuencia por diseñadores de toda índole en las últimas décadas. Estas poses imitan las posturas de modelos reales tanto en sesiones fotográficas como caminando por la pasarela.

Figura 3.35. Poses de moda. **Mengjie Di** (***http://mengjiedi.blogspot.com***) USA.

CAPTURA ESQUEMÁTICA DE POSES

Un gran número de diseñadores observan fotografías de editoriales de moda para capturar la pose perfecta para su figurín. Para hacer esta `caza´ de posturas es recomendable realizar un boceto esquemático, con las líneas de movimiento y ejes de equilibrio principales. Puede emplear figuras geométricas y líneas de referencia para marcar hombros, torso, cintura, pelvis... la inclinación de estas zonas del cuerpo son, en cierto modo, responsables de la ilusión de movimiento.

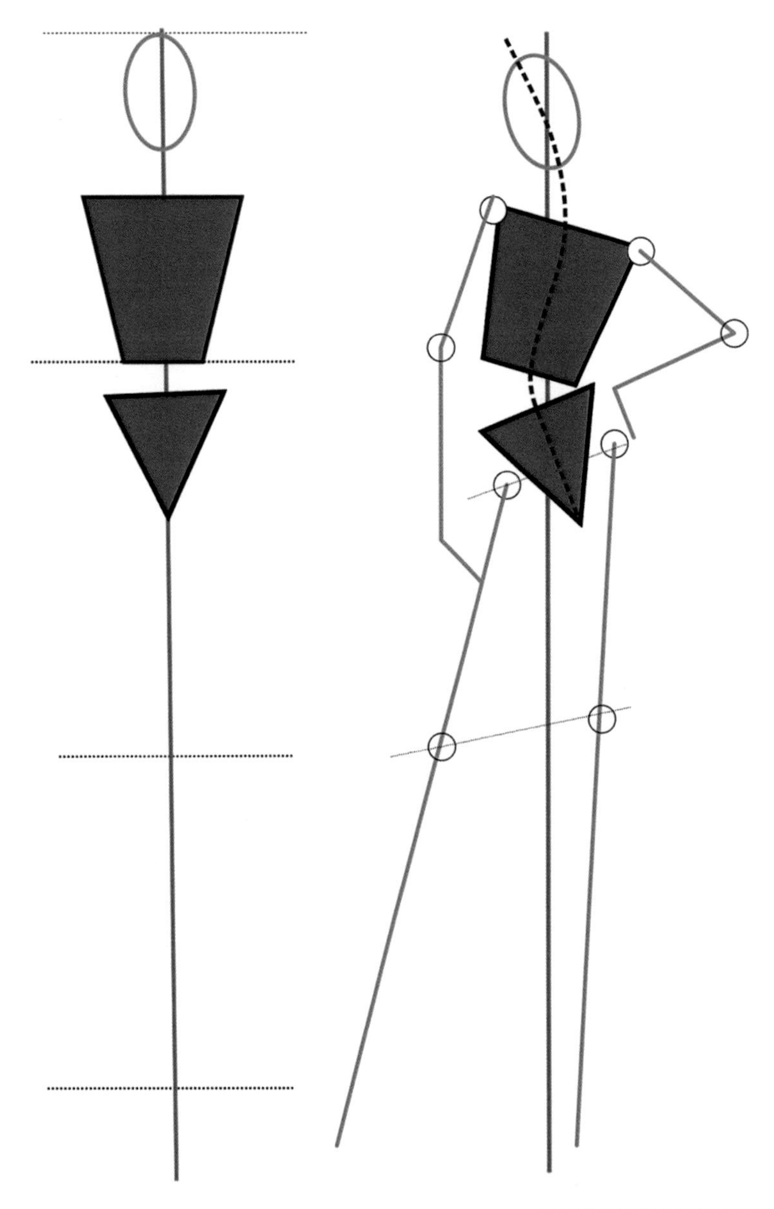

Figura 3.36. Esquema geométrico para capturar poses de moda.

LA POSTURA ADECUADA

Si ha estudiado en una escuela de diseño o simplemente ha visitado el taller o estudio de un diseñador de moda, seguramente habrá visto cerca de las mesas de dibujo un pequeño maniquí articulado de madera. Este clásico maniquí se utiliza como ayuda visual para realizar las diversas poses del figurín. Tal vez no disponga de ese práctico maniquí de madera pero es importante mencionarlo como una de las herramientas clásicas del diseñador y figurinista de moda.

Tanto si utiliza fotografías como un maniquí de madera como referencia, el objetivo es el mismo, conseguir la mejor postura para su figurín.

Hay ciertas claves comunes en los figurines mejor logrados, como por ejemplo la posición asimétrica de brazos y piernas, la correcta inclinación de la línea de hombros y cadera, la postura relajada de brazos y manos o el equilibrio en conjunto de todo el cuerpo.

Figura 3.37. Croquis con poses de moda realizadas por **Lara Wolf** (***www.larawolf.com***) Georgia, USA.

Figura 3.38. Croquis con poses de moda realizadas por **Lara Wolf** (***www.larawolf.com***) Georgia, USA.

EL FIGURÍN ADAPTADO A LA PRENDA

En el dibujo de figurines para el diseño de moda, hay que tener especial cuidado con la elección de la postura, no hay que olvidar que la prioridad es facilitar la interpretación de las prendas para su futura confección. Debe evitarse la utilización de posturas que cubran zonas destacadas del diseño.

Por ejemplo si el figurín va a llevar un vestido con algún corte especial en la manga, entonces es conveniente que separe los brazos del cuerpo para mostrar dicho corte. También variará la postura dependiendo del tipo de ropa que vaya a portar el figurín; se escogerán poses más dinámicas para prendas de corte *sport* o *prêt-à-porter* y poses más elegantes y pausadas para vestidos de alta costura o novia.

Figura 3.39. Figurines con distintas posturas creados por **Naomi Alessandra Schultz** (***http://inkbramble.com***) California.

POSES ORIGINALES

La elección de la postura de su figurín dependerá del objetivo final de dicho figurín. Las posibilidades de la ilustración son creativamente ilimitadas, aprovéchelas siempre y cuando la prioridad del figurín sea la de transmitir una sensación o un estilo particular. A continuación se muestran tres ejemplos de distintas poses originales y atípicas de figurines.

Figura 3.40. Figurines con poses atípicas de Brenna Stuart (***www.brennastuart.com***) Atlanta, USA.

Figura 3.41. Poses de figurín originales. **Yoyo Han** (***http://be.net/yoyo-hanb5ad***) Georgia, USA.

Figura 3.42. No, no está al revés es un original figurín de **Hayden Williams**. (http://*haydenwilliamsillustrations.tumblr.com*)

Figura 3.43. La top-model **Naomi Campbell** desfilando, un figurín de **Hayden Williams**. (http://***haydenwilliamsillustrations.tumblr.com***).

FIGURINES INSPIRADOS EN SUPERMODELOS

Probablemente no disponga de suficiente presupuesto para contar con la presencia de alguna de las *top-models* internacionales para alguno de sus futuros desfiles. De todos es sabido su enorme *caché* por desfile o evento, pero eso no es un problema cuando se trata de diseñar moda, nadie le impide que sus figurines estén creados a imagen y semejanza de sus supermodelos favoritas. Es bastante común entre diseñadores utilizar en el dibujo de sus figurines rasgos de artistas famosos o *celebrities* para asociarlos con el *look* propuesto en sus diseños.

Ahora solo tiene que decidir quién le inspira y puede ser buena imagen para lucir sus diseños, aunque sólo sea en papel.

Figura 3.44. Las top-models **Naomi Campbell, Cindy Crawford, Christy Turlington, Linda Evangelista, Jessica Stam, Sessilee Lopez, Rosie Huntington** y **Natasha Poly** convertidas en figurines por **Hayden Williams**. (http*://haydenwilliamsillustrations.tumblr.com*).

CAPÍTULO 4

EL COLOR EN EL FIGURÍN

El color desempeña un papel muy importante dentro del diseño de moda. El éxito de una colección puede variar notablemente en dependencia de los colores elegidos, tanto es así que cada año se realizan complejos estudios para predecir cuál será el color más solicitado por los consumidores en las temporadas venideras. En lo que se refiere al dibujo de figurines, el color también añade ciertas connotaciones al propio figurín, la ausencia de color le resta protagonismo frente a las prendas coloreadas, mientras que el figurín dibujado a color se integra en una armonía visual.

Saber trabajar con el color y crear combinaciones de colores acertadas es fundamental para un diseñador.

Los avances tecnológicos han aportado el equipamiento necesario para reproducir y mostrar imágenes a todo color de forma asequible. Asimismo, la estampación digital textil ha acercado la impresión de tejidos multicolor a diseñadores con todo tipo de presupuestos, el color ya puede fluir sin límites desde la mesa del creador hasta la pasarela, permitiendo disfrutar al diseñador de moda de un momento de creación multicolor sin precedentes

TÉCNICAS Y HERRAMIENTAS DE COLOREADO

El color puede producir muchas sensaciones, sentimientos, estados de ánimo, puede también transmitir mensajes, expresar valores, situaciones y sin embargo, el color no existe más allá de nuestra percepción visual. A lo largo de la historia el color ha sido estudiado, por científicos, físicos, filósofos y artistas. Cada uno en su campo y en estrecho contacto con el fenómeno del color. **Isaac Newton** (1643-1727) estableció un principio vigente hasta hoy: **la luz es color**.

La teoría del color es amplia y compleja, podríamos dedicar varios libros al estudio del color, pero aquí únicamente queremos hacer un breve recorrido por las técnicas y herramientas de coloreado más utilizadas por diseñadores para añadir color a sus figurines, mostrando ejemplos de dichas técnicas ya aplicadas.

Figura 4.1. Ilustración a todo color de **Moisés Quesada** (***http://moisesquesada.blogspot.com***) República Dominicana.

EL LÁPIZ

Como podrá comprobar, la ilustración de moda y el dibujo de figurines comparten la mayoría de técnicas, materiales y herramientas utilizadas en la ilustración o dibujo artístico tradicional. Comenzamos este breve repaso por lo más básico e imprescindible, el lápiz.

Los lápices se dividen en grados según su dureza. Un lápiz más duro produce un tono más claro en el papel, mientras que un lápiz más suave produce un tono más oscuro. Para su clasificación se emplean las letras identificativas: **H** y **B** que corresponden a los adjetivos *Hard* y *Black* (duro y negro), acompañadas de un número que representa el grado. Por ejemplo un lápiz 2B es suave y 6B otro mucho más suave de tono más oscuro.

Los lápices duros se utilizan para perfilar o calcar, al hacer un trazo más nítido, fino y limpio. Los blandos se acercan más al acabado del carboncillo, son muy suaves al dibujar y se logran unos negros más intensos.

Si no puede disponer de una gama amplia de lápices en su lapicero, entonces opte por un término medio, más versátil, como un lápiz **2B** o un lápiz de mina blanda **HB** muy utilizado sobre todo para crear bocetos y croquis.

También es recomendable disponer de un lápiz mecánico o portaminas de punta 0,5 para dibujar detalles más precisos y evitar estar afilando el lápiz para no perder nitidez en el trazo.

FIGURINES MONOCOLOR

Un dibujo en el que se utiliza únicamente un color se denomina monocolor o monocromo, son muchos los diseñadores de moda que dibujan sus diseños a propósito sin color, para posteriormente decidir los colores a utilizar en su confección.

En otros casos emplean únicamente tonalidades de un mismo color o gama cromática, por cuestiones meramente estéticas. Al igual que sucede cuando un fotógrafo decide tomar sus fotografías en blanco y negro aun disponiendo de una cámara capaz de capturar millones de colores.

Para el dibujo de figurines monocolor se emplean herramientas tradicionales de dibujo, como lápices, carboncillo, tinta china o rotuladores estilográficos. A continuación se muestran algunos ejemplos tanto de figurines individuales como de colecciones presentadas en *line-up*.

Figura 4.2. Graduaciones de lápices de mina dura a blanda.

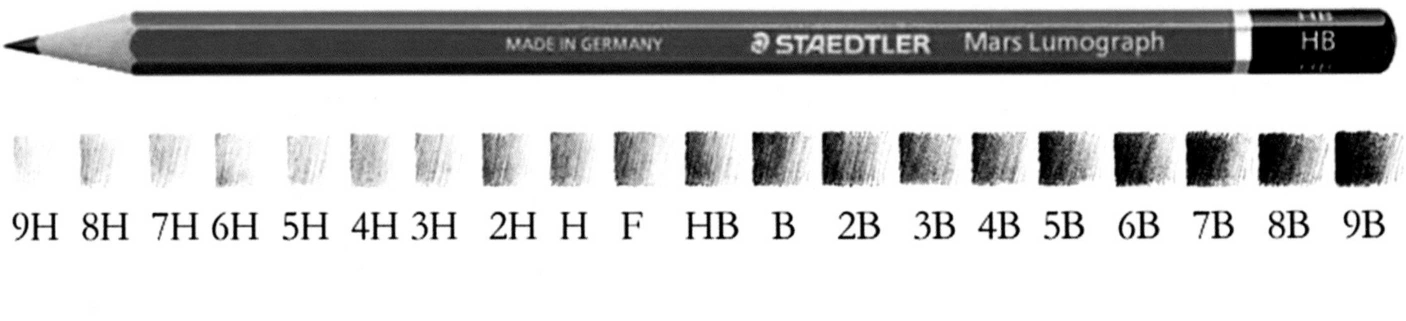

MADE IN GERMANY STAEDTLER Mars Lumograph HB

9H 8H 7H 6H 5H 4H 3H 2H H F HB B 2B 3B 4B 5B 6B 7B 8B 9B

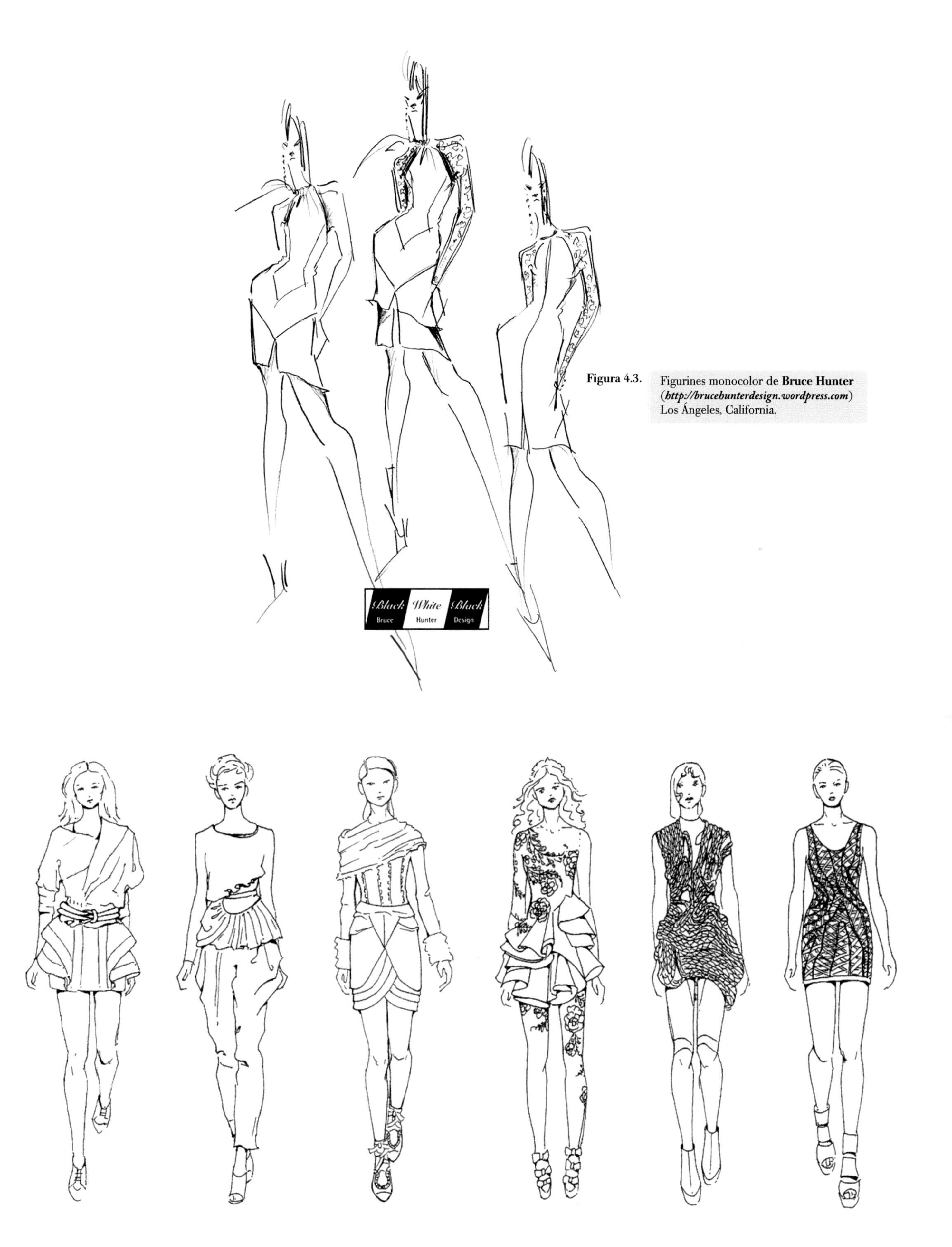

Figura 4.3. Figurines monocolor de **Bruce Hunter** (***http://brucehunterdesign.wordpress.com***) Los Ángeles, California.

Figura 4.4. Figurines monocolor creados con rotulador estilográfico negro de **Naomi Alessandra Schultz** (***http://inkbramble.com***) California.

Figura 4.5.

Figurines monocolor azul creados por **Velwyn Yossy** (***http://velwyn.com***) California.

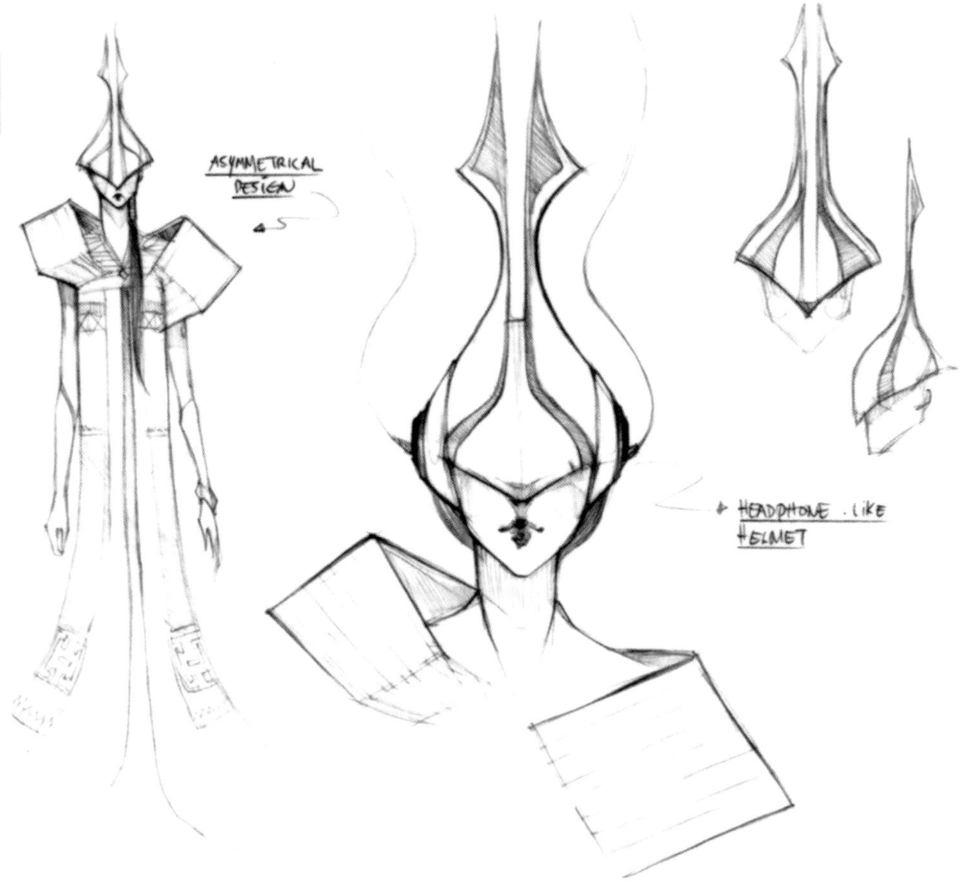

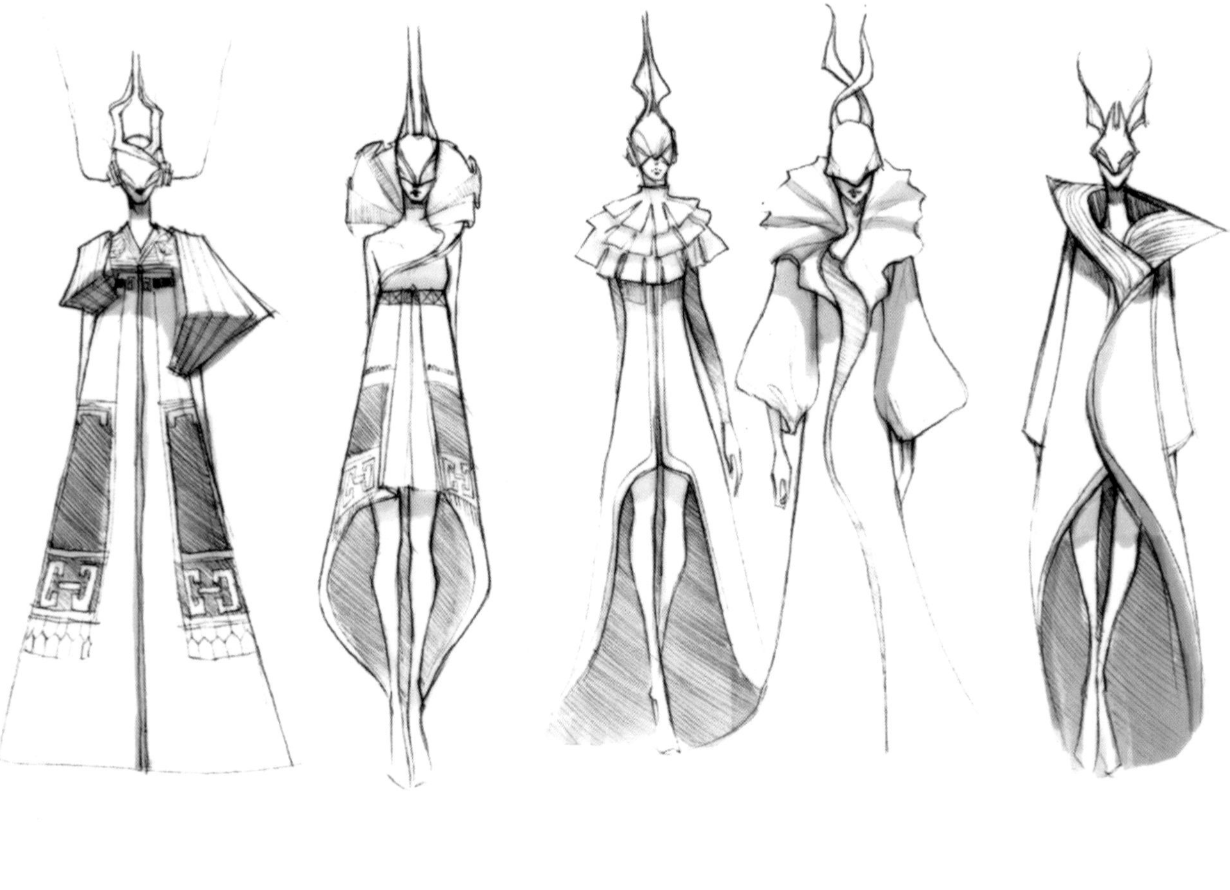

Figura 4.6.

Con un simple lápiz pueden crearse figurines tan elaborados y llenos de luz, como los dibujados por **Mei Zhen Xu** (***http://behance.net/meizhen***) Londres.

Figura 4.7. Colección de moda en *line-up* de **Mengjie Di** (***http://mengjiedi.blogspot.com***), creada intencionadamente en escala de grises. Observe como tanto los figurines como las prendas mantienen la misma gama tonal.

FIGURINES A COLOR

La decisión de dibujar o no el figurín a color, depende del estilo del diseñador y en muchas ocasiones del factor tiempo. En realidad la línea y los cortes de una prenda ya se perciben en un diseño a lápiz; sin embargo tal y como comentábamos antes, el color puede añadir ciertas características y connotaciones tanto al figurín como a las prendas. Cuando tenga que hacer la presentación de diseños de una colección o mostrar un boceto a un cliente para un encargo en concreto, entonces será más que recomendable dedicarle tiempo al dibujo del figurín para añadirle color y texturas, de esta forma le resultará más sencillo interpretar el diseño a su cliente.

Figura 4.8. Con y sin color por **Will Ev** (***http://nazgrelle.deviantart.com***) Malasia.

TÉCNICAS DE COLOREADO EN EL DIBUJO DE FIGURINES

Todas las técnicas, herramientas y materiales empleados para añadir color en el dibujo artístico o para pintar en el arte son aplicables al diseño de moda. Uno de los condicionantes a la hora de escoger la técnica a emplear es el tamaño del papel o soporte gráfico de los diseños. En diseño de moda lo más habitual es trabajar en láminas de papel tamaño DIN-A4 (210 x 297mm) o DIN-A3 (297x420 mm), a estos tamaños da muy buen resultado la utilización de lápices de colores, rotuladores, acuarelas, ceras o témperas.

Para la edición de este libro se consultó a numerosos diseñadores cuáles eran las herramientas de dibujo tradicionales que utilizaban con mayor frecuencia llegando a la conclusión de que son tres las técnicas más utilizadas por los profesionales del sector: lápices de colores, rotuladores y acuarelas.

Figura 4.9. Figurines multicolor de **Sashiiko-Anti** (***http://sashiiko-anti.deviantart.com***) Rusia.

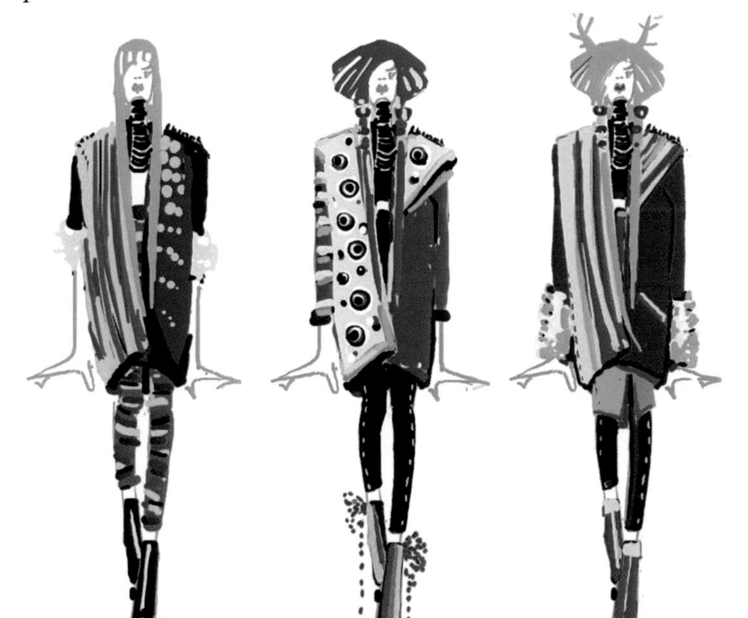

LÁPICES DE COLORES

Entre las tres herramientas de dibujo tradicionales más utilizadas en el diseño de moda, los lápices de colores son los más versátiles y fáciles de utilizar. Existen infinidad de marcas de lápices de colores profesionales en el mercado (*Caran d'Ache, Faber-Castell, Staedtler...*), aunque los más recomendados por diseñadores de moda son los de la marca *Prismacolor* por su excelente cremosidad. Capacidad que permite la combinación de varios colores entre sí colocando por ejemplo un tono claro sobre otro oscuro para generar brillos en pliegues y texturas.

Figuras 4.10 y 4.11. Figurines coloreados con lápices de colores por **[Dushky] Andreea-Laura Muntean**, (***www.dushky.com***) Rumanía.

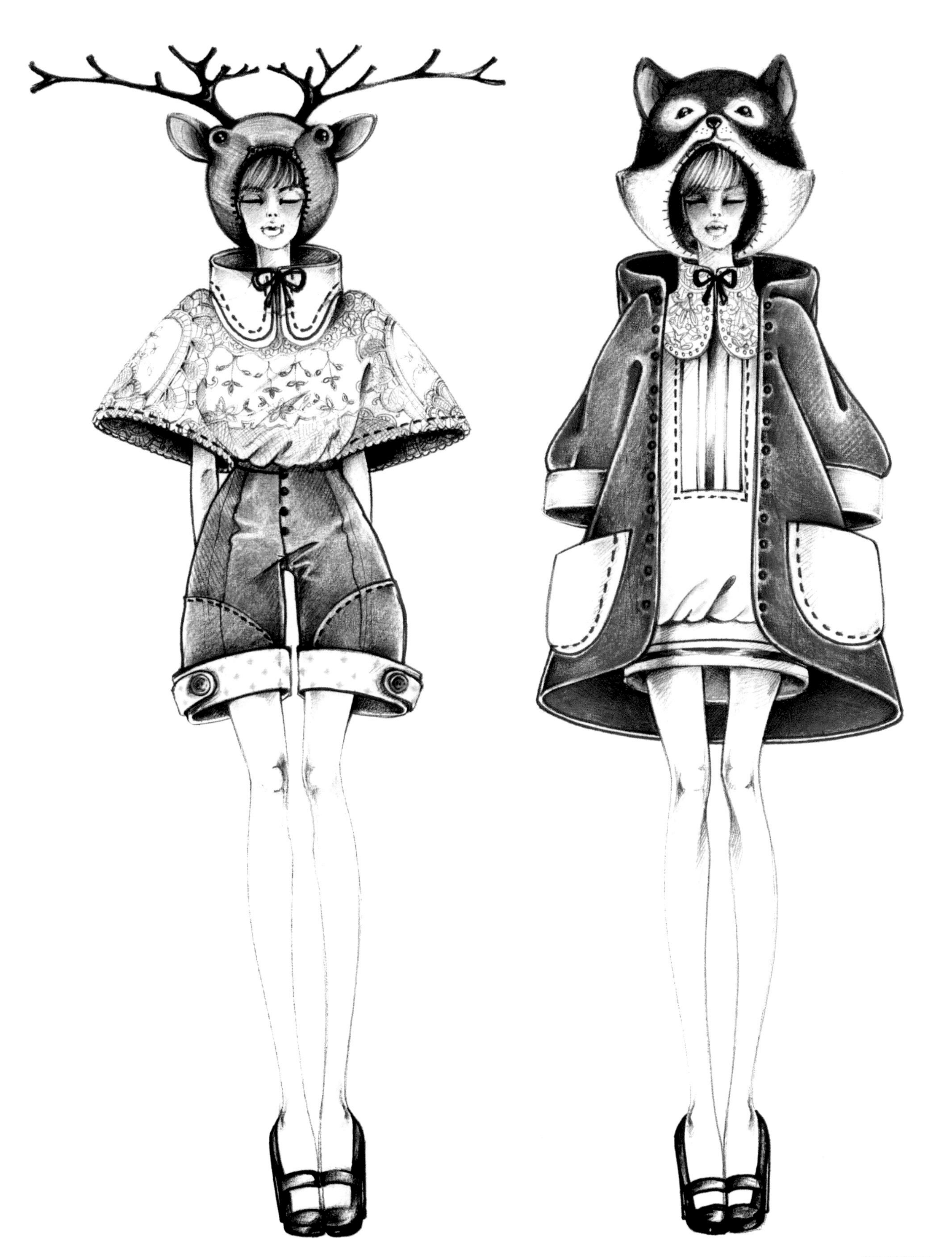

ROTULADORES

En el año 1962, **Yukio Horie** inventó el rotulador en busca de alternativas para la escritura con pluma tradicional japonesa. Desde entonces su invento revolucionó por completo la ilustración en todos los sectores incluido el diseño de moda. El rotulador también denominado marcador, plumón o *marker*, ha acompañado al figurinista e ilustrador de moda en las últimas décadas, debido en gran medida a su fácil utilización, precio asequible, permanencia de color, durabilidad y como no, a la diversidad de trazos que se pueden conseguir.

La gran variedad de colores disponibles y las distintas clases de puntas (punta fina redonda, punta gruesa plana, punta pincel...) permiten crear acabados de trazos limpios y de gran fuerza visual.

Para conseguir un buen nivel de acabado en ilustraciones con la técnica de rotulador, se necesita bastante práctica, pero a diferencia de otras técnicas de coloreado, ésta es de secado inmediato, por lo que puede adquirir habilidad en menos tiempo.

Además una vez que domine la técnica, el secado rápido le permitirá ser más productivo al necesitar menos tiempo para rematar sus diseños.

Figuras 4.12 y 4.13. Ilustraciones creadas con rotuladores por **Baiba Ladiga** (*www.ladiga.com*) Shanghai, China.

ROTULADORES PROFESIONALES

Existen infinidad de marcas de rotuladores en el mercado pero para obtener los mejores resultados es recomendable apostar por una marca de calidad profesional. En esta técnica influye considerablemente la calidad del rotulador empleado en el resultado final. Hay varias marcas de rotuladores recomendadas para la ilustración en general como por ejemplo: *Prismacolor*, *PANTONE*, *Chartpak*, *Touch*, *Letraset ProMarker*, *Stabilo*, *Tombow* o *Posca*. La mayoría de estos rotuladores profesionales disponen de dos puntas, una ancha biselada para cubrir fondos y otra fina para detalles.

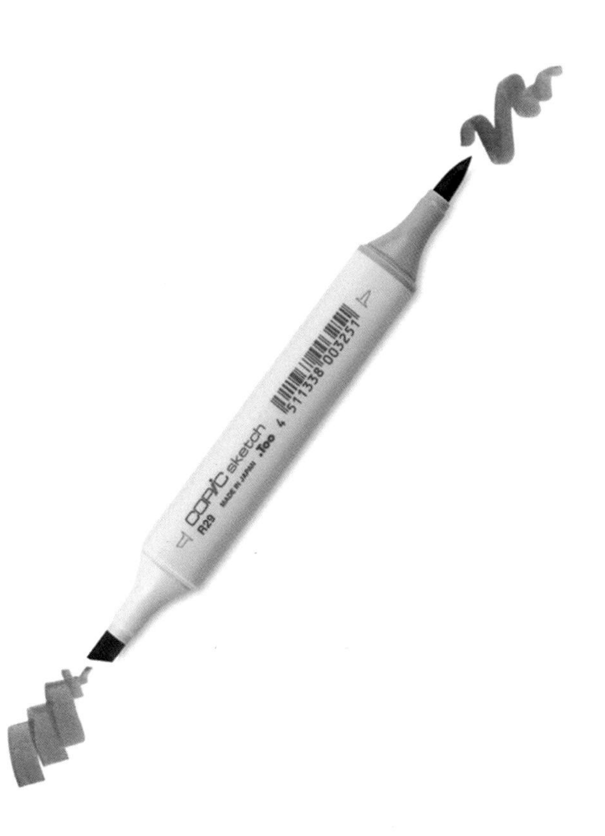

Figuras 4.14. *Copic Sketch*, el rotulador preferido por diseñadores de moda, con dos tipos de punta (plana y pincel).

ROTULADORES *COPIC*

De todos modos, entre los profesionales de la ilustración y el diseño de moda, existe un criterio unánime a la hora de recomendar una marca de rotuladores concreta, se trata de la marca japonesa *COPIC*, que comercializa varios modelos de rotuladores pensados por y para artistas. De entre la variedad de rotuladores *COPIC* los favoritos de los diseñadores de moda son sin duda los *COPIC Sketch*, diseñados para uso profesional, libres de ácidos, no tóxicos, recargables, con puntas intercambiables y cientos de colores disponibles. Cada rotulador tiene dos puntas: una punta de pincel, muy jugosa y flexible, de gran durabilidad y otra punta biselada. Los cuerpos de estos rotuladores son grandes y de forma cuadrada para facilitar el agarre ergonómico y evitar que no rueden por la mesa de dibujo. Usan tinta basada en alcohol por lo que produce menos olor y se secan con mayor rapidez.

Además de las características mencionadas, la gran ventaja que ofrecen los rotuladores *COPIC* es su capacidad para mezclar los colores permitiendo al diseñador sombrear y conseguir acabados muy suaves.

Los rotuladores *COPIC* funcionan bien sobre papeles de grano suave de alto gramaje como por ejemplo las láminas de cartulina *Canson Mi-Teintes*, ya que están diseñados para mezclarse y saturar bien la hoja durante el proceso del dibujo. Tenga finalmente en cuenta que pintar con rotuladores *COPIC* se basa en una metodología de coloreado capa sobre capa, por lo que un papel grueso ayudará a absorber los posibles excesos de tinta, logrando un resultado final más limpio y definido.

Figura 4.15. Figurín a rotulador creado por **Nahrin Sarkisova** (***www.hausofnahrin.com***) California, USA.

Figura 4.16. Figurines dibujados con la técnica de rotulador por **Lara Wolf** (*www.larawolf.com*) Georgia, USA.

ACUARELA

La técnica de acuarela o *watercolor* es otra de las más utilizadas por diseñadores de moda para dar color a sus figurines. En esta técnica los pigmentos de color se disuelven en el agua, propiedad de la que recibe su nombre. Es precisamente el agua, la causante de la transparencia, luminosidad y frescura que caracteriza a esta técnica de pintura. Lo impredecible de la mezcla de los pigmentos de color con el agua, hacen que la técnica de acuarela sea una de las que requiere mayor tiempo de aprendizaje para obtener buenos resultados.

Es preciso aclarar: los figurines realizados con ésta técnica son en su mayoría figurines artísticos, de alta costura o ilustraciones de moda exclusivas, esto es así porque o bien requieren un tiempo considerable en su realización o porque el acabado a la acuarela, aporta un toque etéreo y artístico muy particular a todo diseño.

Entre los materiales necesarios para utilizar la técnica de acuarela, están en primer lugar los pigmentos o colores de los cuales hay varios tipos: en pastilla, tubo e incluso en forma de lápices acuarelables como los de la marca *Caran D'Ache*. Para su aplicación se utilizan pinceles de pelo suave y para llevar a cabo los degradados o mezclas de color se emplea una paleta o platillos. El papel para pintar con acuarela es el específico para la técnica, con cuerpo y cierto grano característico.

A la hora de pintar un figurín con acuarela puede hacerlo directamente o bien trabajar sobre un croquis previamente realizado a lápiz o tinta china.

La mejor cualidad de esta técnica es la transparencia y la frescura de ejecución, téngala en cuenta cuando necesite crear figurines con esas características.

Figura 4.17. Figurín artístico creado con acuarela de **Baiba Ladiga** (***www.ladiga.com***) Shanghai, China.

Figura 4.18. Figurines coloreados con la técnica de acuarela por **Lara Wolf** (***www.larawolf.com***) Georgia, USA.

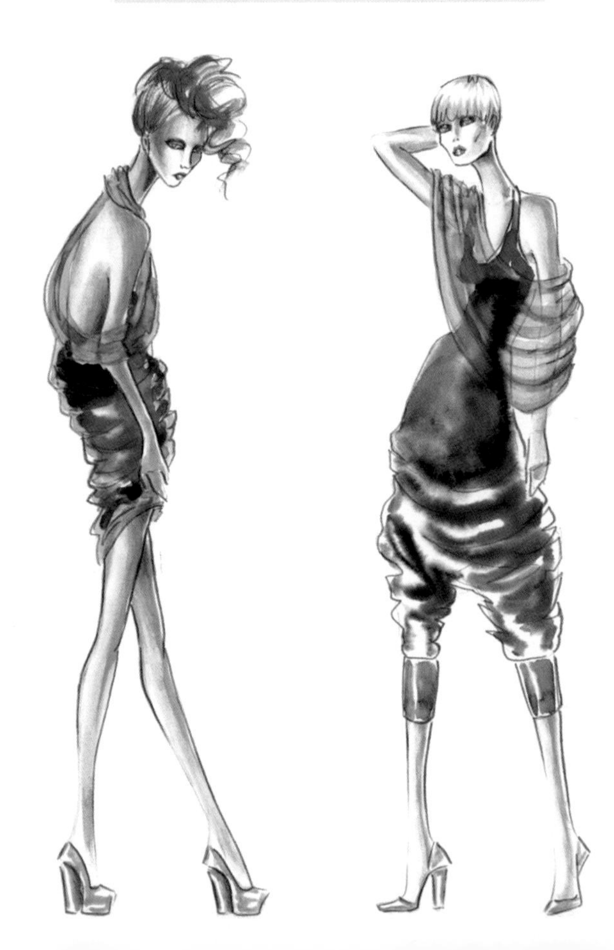

Figura 4.19. Figurines coloreados con acuarelas por **Lara Wolf** (***www.larawolf.com***) Georgia, USA.

Figura 4.20. En la parte superior se muestra el proceso de coloreado de un figurín mediante la técnica de acuarela y en la inferior el mismo figurín coloreado con rotuladores, una demostración de la aplicación de ambas técnicas por **Mengjie Di** (***http://mengjiedi.blogspot.com***) USA.

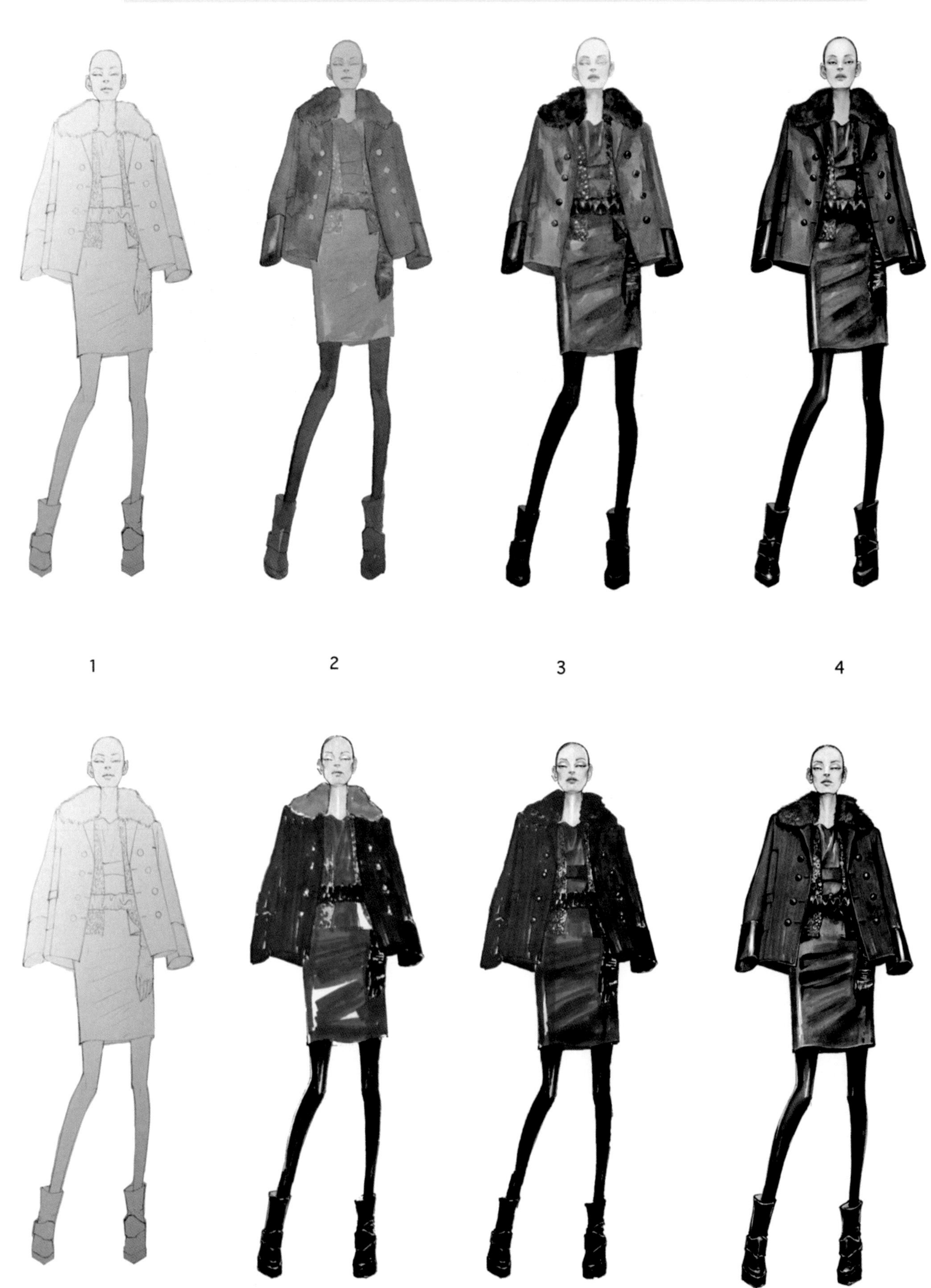

TÉCNICA MIXTA

Aunque hayamos tratado por separado cada una de las técnicas de coloreado tradicional más utilizadas por diseñadores de moda, es obvio que pueden combinarse entre sí para adecuarlas mejor a sus necesidades creativas. Cuando se emplean diversas técnicas de pintura en la creación de un mismo dibujo se denomina ‘*técnica mixta*’. En todos los campos creativos la experimentación y mezcla de diversas técnicas y materiales lleva a la innovación. No tema practicar todo lo que pueda con las técnicas mencionadas o con toda aquella herramienta de pintura tradicional que le permita expresarse con libertad.

Como afirma el escritor y visionario **Malcolm Gladwell** en su popular libro *Fueras de serie (Outliers)*: ***"Se precisan 10.000 horas de práctica para lograr la excelencia en algo."***

Figura 4.21. Figurines creados mediante técnica mixta por **Yoyo Han** (***http://be.net/yoyo-hanb5ad***) Georgia, USA.

Figura 4.22. Increíble figurín a todo color creado con técnica mixta por **Sunny Gu** (***http://sunnygu.com***) California.

TÉCNICAS DE COLOREADO DIGITAL

Si bien son muchos los diseñadores de moda que prefieren emplear únicamente técnicas de dibujo y pintura tradicionales para crear sus figurines. Es innegable que las herramientas tecnológicas van ganando adeptos entre los profesionales del sector sobre todo por aportar ventajas tan importantes como la reutilización de figurines, la rapidez en el coloreado de ilustraciones, la gran variedad herramientas de dibujo y pintura disponibles o la corrección de errores ilimitada mediante los niveles de deshacer.

Hay diseñadores con experiencia notable en el uso de herramientas de dibujo tradicional que todavía no dominan lo suficiente el ordenador para dibujar con la misma soltura en medios digitales. Es por ello que optan por escanear sus figurines o croquis hechos a mano para después colorearlos en un programa de tratamiento digital de imágenes. De esta forma pueden aprovechar su destreza en el dibujo a mano al mismo tiempo que optimizan su flujo de trabajo con las herramientas digitales.

PROGRAMAS DE TRATAMIENTO DIGITAL DE IMÁGENES

Cuando se escanea o digitaliza un croquis o diseño a través de un escáner, éste se convierte en una imagen de mapa de bits, *bitmap* o raster formada por una retícula de pequeños puntos de luz y color denominados **píxeles**. Las imágenes de mapa de bits se editan o crean en programas de tratamiento digital de imágenes o retoque fotográfico como por ejemplo *Adobe Photoshop* o *Corel Painter*. Dentro de este tipo de programas al croquis escaneado o diseño se le puede añadir color, aplicar efectos fotográficos, texturas, filtros, ajustar sus valores de imagen, etc.

En el dibujo tradicional, el diseñador se ve limitado a la utilización de las herramientas de dibujo que tiene en su estudio, sin embargo la gran ventaja de los programas de diseño por ordenador es la enorme cantidad de herramientas de dibujo y pintura a nuestro alcance (lápices, pinceles de todo tipo, ceras, pasteles, aerógrafos, acuarelas, rotuladores, etc.) todas ellas disponibles en un número ilimitado de colores. Imagínese lo que le costaría tener semejante arsenal de herramientas de dibujo tradicionales en su mesa.

Hay diseñadores que para evitar dar el salto al dibujo por ordenador, argumentan la falta de realismo en las herramientas digitales, quejándose de no ser capaces de imitar las técnicas de pintura tradicionales. Pero esto ha cambiado considerablemente desde la aparición de las últimas versiones del programa *Corel Painter*, conocido por ser el programa de pintura de medios digitales que mejor imita las técnicas de pintura tradicionales. *Corel Painter* utilizado conjuntamente con una tableta digitalizadora sensible a la presión, como las famosas tabletas gráficas de *Wacom*, puede sustituir perfectamente al estudio de pintura tradicional mejor montado; ya no hay excusas para aprovechar todas las ventajas del diseño e ilustración de moda por ordenador.

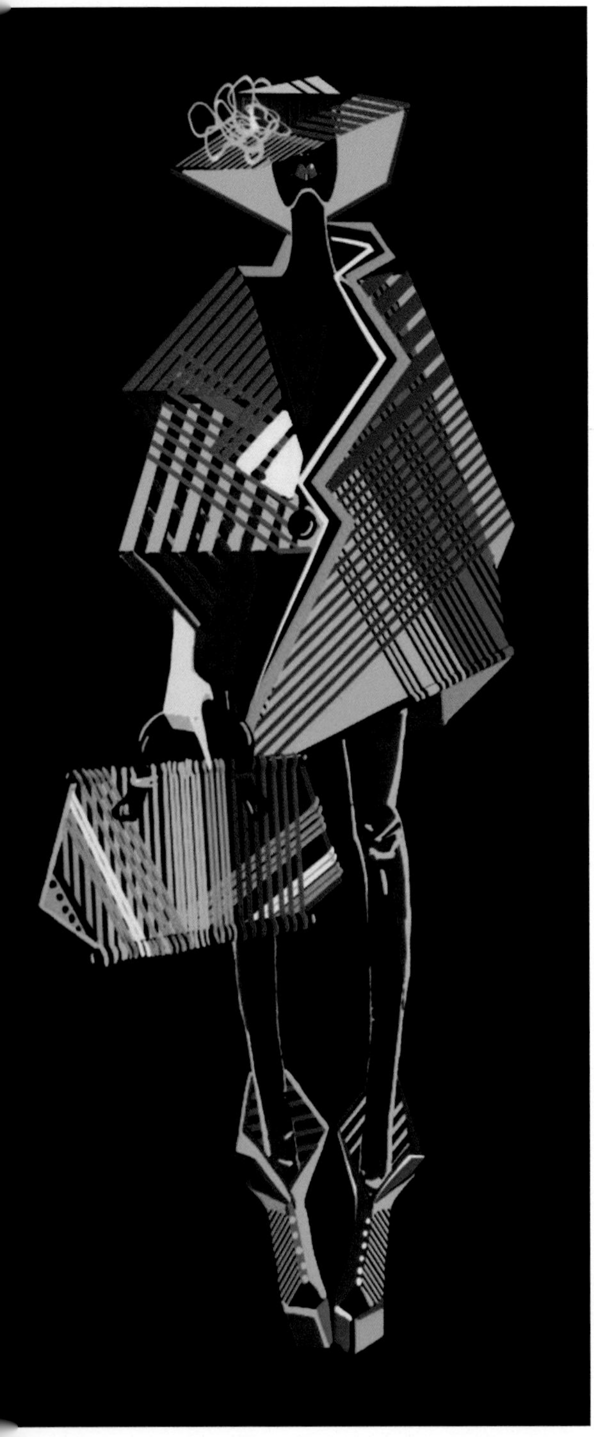

OPTIMIZACIÓN DEL FIGURÍN PARA SU ESCANEADO

A la hora de trabajar con herramientas de tratamiento digital de imágenes, la metodología y el proceso de trabajo debe estar calculado. Desde el principio es necesario decidir el tipo de imagen a crear, cuál será su finalidad y su dispositivo de salida (impresora doméstica, imprenta, etc.) para así poder calcular la resolución de la imagen.

Si tiene pensado colorear un figurín realizado a mano a través del ordenador, entonces es aconsejable que antes de escanearlo prepare el trazado del figurín de la siguiente manera: las áreas del dibujo que tenga previsto colorear con masas de color tendrán que tener preferiblemente los contornos cerrados por lo que con un rotulador negro puede ir cerrando o repasando aquellas zonas del contorno que pudieran estar abiertas.

Una vez comprobado el contorno cerrado de las áreas a colorear, puede escanear el dibujo original. La resolución de la imagen de 300 dpi (puntos por pulgada) puede ser la aconsejable como resolución de escaneado.

Al resultado de repasar dibujos o diseños escaneados, cerrando sus contornos en negro para facilitar su posterior coloreado digital se denomina ***line-art***.

Figura 4.24. En el figurín escaneado se puede observar que la línea de contorno está abierta en un punto, se procede a perfilar con rotulador ese área del contorno cerrando posibles fisuras. Una vez cerrado por completo el contorno resulta mucho más sencillo añadir color

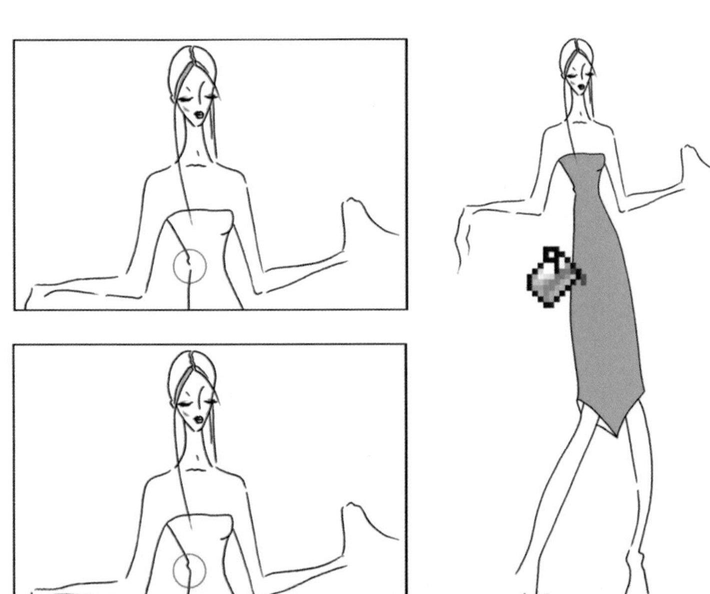

Figura 4.23. Figurín coloreado digitalmente por **Sashiiko-Anti** (***http://sashiiko-anti.deviantart.com***) Rusia.

A continuación abra la imagen en su programa de tratamiento digital de imágenes (*Adobe Photoshop, Corel Painter*, etc.). Si los contornos del ***line-art*** están perfectamente cerrados, añadirles color será una tarea francamente fácil. Primero seleccione un color de la paleta de colores o del selector de color, después haga clic en la herramienta **Bote de Pintura** (*paint bucket*) y haga clic dentro del área a colorear. La herramienta de pintura analizará el área a colorear dependiendo de donde haya situado el cursor, si el cursor estaba situado sobre un área de color blanco, cubrirá de color el área hasta que encuentre otro píxel que no sea de color blanco. En este caso se detendrá en el color del contorno, o sea en el color negro.

COLOREANDO ÁREAS CON MÁSCARAS

En dibujos complejos o figurines con contornos poco definidos, las líneas no siempre podrán estar del todo cerradas. Esto puede provocar que las herramientas digitales de pintura rellenen de color áreas que no desea. Afortunadamente los programas de tratamiento digital de imágenes o retoque fotográfico disponen de la herramienta **Máscara**. Esta herramienta permite indicar al programa qué zonas de la imagen queremos que sean editables o cuáles queremos colorear, y cuáles queremos proteger. El área editable de una máscara se denomina **Selección**. Cuando se crea una máscara, alrededor de la zona enmascarada aparece una especie de línea discontinua en movimiento denominada recuadro de máscara y es la que separa la selección de las áreas protegidas.

Para crear una máscara puede utilizar distintos tipos de herramientas de creación de máscaras como las herramientas máscara Rectángulo, máscara Elipse, máscara Varita mágica, máscara Lazo, etc.

A la hora de colorear diseños de moda, la herramienta de creación de máscaras más utilizada es la **Varita** mágica (*magic wand*). La varita mágica selecciona todos los píxeles adyacentes al píxel en que se hace clic, pertenecientes al rango de tolerancia especificado. Haga clic en el color que desea seleccionar y el recuadro de máscara se expandirá hasta alcanzar su límite de tolerancia del color.

Es muy importante trabajar variando los niveles de **Tolerancia de color**, por defecto el nivel de tolerancia es de 10. Por ejemplo si tiene un figurín con fondos difuminados de color gris puede aumentar el nivel de tolerancia para que se expanda e incluya en la selección todos los tonos de grises similares.

Cuando verdaderamente agradecerá las ventajas de las máscaras es cuando tenga previsto colorear una zona con herramientas de pintura digitales como el pincel, la acuarela, lápices, rotuladores, etc. Imagínese sino lo difícil que le resultaría no salirse de la zona a colorear con el ratón.

Antes de seguir con la lectura de este libro le recomendamos que revise y practique con las opciones de creación de máscaras del programa de tratamiento digital de imágenes que tenga a su disposición.

TRATAMIENTO INFORMÁTICO DEL COLOR

Cuando dibuja a mano con las técnicas tradicionales de pintura, los colores que ve en el papel son los colores finales, sin embargo cuando se trabaja en medios digitales hay que tener en cuenta ciertos factores para evitar llevarse disgustos al enviar a imprimir los figurines coloreados en programas de diseño por ordenador. En el proceso de creación de un diseño a través de herramientas digitales, el primer paso que debe plantearse el diseñador, es saber cuál será el soporte de salida de dicho diseño. ¿El diseño en cuestión se materializará en un catálogo, en un muestrario de prototipos, se convertirá finalmente en una prenda de vestir, será necesario imprimir el diseño en otro soporte que no sea papel? Dependiendo del soporte final será preciso utilizar un modo de representación de color u otro.

Los programas de diseño disponen de una gran variedad de modos de representación de color en pantalla. Además de las paletas de color específicas del sector como las paletas *Pantone Fashion+Home*, ofrecen los modos estándar **RGB** y **CMYK**.

MODO RGB

El modo de representación de color en pantalla se denomina **RGB**, estas siglas corresponden a ***Red Green Blue*** (Azul,Verde y Azul). Este tipo de colores reciben el nombre de aditivos, al ser colores luminosos que sumados producen el color blanco. Cuando estamos visualizando algo en pantalla, ésta imagen está formada por los denominados píxeles que a su vez están formados por tres puntos de color que se iluminan con distinta intensidad para crear el resto de los colores de la paleta.

Puede utilizar este modo de color cuando su figurín vaya a ser mostrado únicamente en pantallas digitales (en sitios Web, tabletas, aplicaciones móviles, etc.)

MODO CMYK

En impresión, el modo de representación de color es **CMYK**, cuyas siglas corresponden en el caso de la cuatricromía a ***Cyan Magenta Yellow Black*** (Cian, Magenta, Amarillo y Negro). Este tipo de colores se denominan sustractivos, es decir, el color que aprecia el ojo humano es el que el pigmento de la página refleja, y sustrae del espectro de luz blanca a todos los demás.

Tal vez estos datos no le parezcan relevantes a la hora de colorear sus figurines pero sí deberá tenerlos en cuenta cuando vaya a imprimir su figurín en una imprenta o servicio de impresión. Antes de guardar sus figurines, tenga la precaución de convertir el modo de color RGB a CMYK desde su programa de tratamiento digital de imágenes. Al hacer la conversión notará como algunos colores aparecen más apagados o tenues y estará a tiempo de ajustarlos con herramientas de ajuste de brillo, contraste, intensidad o mediante la corrección de los niveles de gama tonal.

Figuras 4.27 y 4.28. *Line-art* y coloreado digital por **Mario Mimoso** (***http://shidus.tumblr.com***) sobre un boceto de figurín original de **Johnny Sánchez**.

CAPÍTULO 5

EL FIGURÍN DE HOMBRE

Durante años, la moda para mujer ha sido la protagonista indiscutible en pasarelas, revistas y publicaciones de toda índole, dejando un espacio casi testimonial a la moda para hombre.

La sociedad actual continúa avanzando y evolucionando con el fin de lograr la igualdad de género en todos los ámbitos, tanto sociales como profesionales. La industria de la moda, como fiel reflejo de los tiempos que vivimos, también es sensible a dicha evolución. En la actualidad, el estilo ya no está ligado exclusivamente a la mujer, cada vez son más los hombres preocupados por su apariencia y por estar al corriente de las últimas tendencias estéticas.

La moda hombre ha sufrido una importante transformación en este milenio; se acabó la uniformidad imperante de las últimas décadas, donde el traje, la camisa y el pantalón eran las piezas claves del sobrio vestuario masculino. Las nuevas generaciones de creadores de moda, están rompiendo con los cánones establecidos, proponiendo prendas de hombre llenas de originalidad, diseñando sin miedo a los cambios, aportando color, texturas, nuevos cortes y volúmenes. Esta libertad creativa se ha manifestado también en la forma de dibujar los figurines de hombre.

Hasta hace unos años, en la industria de la confección masculina, la mayor parte de los diseños de moda hombre se realizaban mediante figurines técnicos o simplemente dibujando en plano la prenda. Esto provocó la carencia actual de profesionales cualificados en el dibujo de figurines masculinos estilizados.

Al mismo tiempo que evoluciona la moda masculina, también es preciso que evolucionen los profesionales involucrados en su creación, producción y confección. Aprender el dibujo de figurines de hombre o incluso especializarse en ello, puede abrirle puertas no sólo como diseñador, sino como ilustrador o figurinista de moda masculina, un perfil profesional muy demandado en agencias de predicción de tendencias, editoriales de revistas y como no, en empresas de la industria de la confección.

DIBUJO DEL FIGURÍN MASCULINO

Las técnicas empleadas en el dibujo del figurín femenino son igualmente válidas para el dibujo del figurín masculino. Por ejemplo, para dibujar un figurín de hombre también puede utilizar el canon griego modificado, dibujando el cuerpo con una altura total de 9 ó 10 cabezas. La diferencia estriba en la distribución de los módulos y volúmenes del cuerpo. Si compara la estructura general del cuerpo de hombre con el figurín femenino, observará que el torso es más largo. En el figurín de mujer se tiende a exagerar el largo de las piernas; en el de hombre, al ser el torso más largo, se acorta la longitud de las piernas, repartiendo más equitativamente las proporciones de todo el cuerpo.

Figura 5.1. Ilustración de **Moisés Quesada** (***http://moisesquesada.blogspot.com***) República Dominicana.

Figura 5.2. Figurines de corte clásico donde se aplica el canon griego modificado, creados por **Mengjie Di** (***http://mengjiedi.blogspot.com***) USA.

CLAVES DIFERENCIADORAS

Siempre se ha asociado el dibujo del cuerpo de mujer a formas sinuosas y curvilíneas, mientras que para el dibujo del cuerpo de hombre se emplean en general trazos más rectos.

Aparte de las diferencias anatómicas obvias entre el cuerpo de hombre y el de mujer, le ayudará tener en cuenta las siguientes pautas básicas a la hora de dibujar un figurín masculino: dibuje el cuello prácticamente tan ancho como la cara. La proporción de la cabeza es más pequeña en relación con los hombros que son más anchos. Las caderas se dibujan rectas y estrechas mientras que la posición de los pies se dirige hacia fuera.

Quizás la diferencia más llamativa a la hora de dibujar el figurín masculino y el femenino es el énfasis en el marcado del tono muscular. Los figurines de moda en cierto modo están representando un ideal de belleza, que en el caso del hombre está vinculado a una figura atlética y dinámica.

Figura 5.3. Figurines de **Moisés Quesada** (***http://moisesquesada.blogspot.com***) República Dominicana.

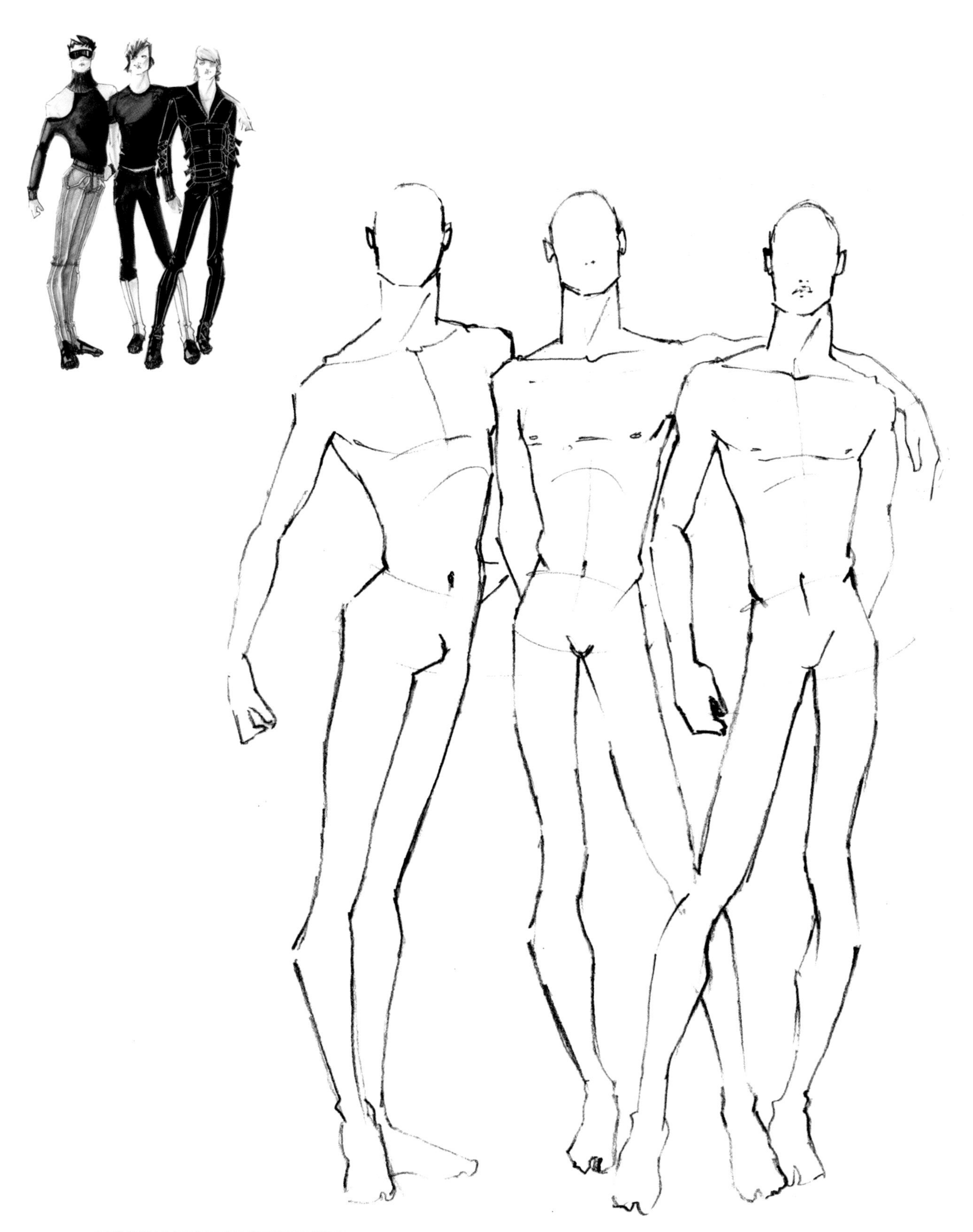

Figura 5.4. Croquis y figurines de **Moisés Quesada** (***http://moisesquesada.blogspot.com***) República Dominicana.

Figura 5.5. Observe como se ha exagerado el ancho del cuello para aportar mayor masculinidad. Ilustración de **Jiiakuann** (***http://www.behance.net/jiiakuann***) China.

DETALLES FACIALES Y CORPORALES

Además de las diferencias mencionadas, hay ciertos detalles corporales que enfatizan la masculinidad del figurín como por ejemplo ampliar el tamaño de las manos, marcar la nuez o añadir detalles de vello facial como cejas más pobladas y rectas, barba o patillas.

Sin embargo, antes de potenciar el aspecto masculino del figurín asegúrese de que este ideal de hombre se corresponde con la imagen que han de transmitir las prendas mostradas por su figurín.

La tendencia hacia lo unisex está afectando también al dibujo de figurines, donde ya no es tan necesario marcar las diferencias anatómicas entre hombre/mujer y se procura conseguir un *look* más andrógino.

Figura 5.6. Figurines de hombre donde se enfatiza su masculinidad mediante el tamaño de las manos, la barba y la nuez marcada. **Wen Wang** (***http://www.behance.net/maggiewenwang***) Filadelfia, USA.

Figura 5.7. Figurines de hombre de aspecto andrógino creados por **Jiiakuann** (***http://www.behance.net/jiiakuann***) China.

Figura 5.8. Ilustraciones de **Anmom** (***http://anmom.prosite.com***) Bangkok, Tailandia.

PEINADO Y COMPLEMENTOS

Al igual que con el figurín femenino, si dispone de tiempo suficiente para dibujar un figurín de hombre recreándose en los detalles entonces puede personalizarlo añadiendo elementos más concretos como peinados singulares, tatuajes o accesorios. Afortunadamente, no tiene que limitarse a dibujar los sencillos peinados de pelo corto de antaño, aproveche las licencias estéticas de nuestro tiempo, añada cortes de pelo actuales en todo tipo de largos, aumente su naturalidad dibujando el pelo intencionadamente despeinado o complete el *look* mediante complementos como gorras, sombreros, gafas de sol o todo aquello que aporte personalidad propia a su figurín. Por ejemplo si su figurín va a mostrar prendas de *streetwear* entonces no dude en acompañarlo de accesorios como tablas de monopatín o mochilas, sin duda reforzarán el concepto de diseño a transmitir.

Figura 5.9. Figurines personalizados creados por **Moisés Quesada** (***http://moisesquesada.blogspot.com***) República Dominicana.

Figura 5.10. Detalles faciales y peinados creados por **Anmom** (***http://anmom.prosite.com***) Bangkok, Tailandia.

Figura 5.11. Figurines con complementos y accesorios creados por **Jiiakuann** (***http://www.behance.net/jiiakuann***) China.

POSES DEL FIGURÍN

Lo más importante a la hora de encontrar una pose adecuada para el figurín de hombre es dotarlo de una actitud masculina. El grado de inclinación de la cabeza o una mirada directa 'a la cámara' son claves para añadir cierta actitud o personalidad al figurín masculino. Si bien en el figurín femenino se tiende a representar actitudes dulces, sutiles y etéreas, en el caso masculino se opta por representar una personalidad más fuerte, en ocasiones desafiante o indiferente a todo lo que le rodea.

Con respecto a la postura corporal, la posición de las manos cobra especial relevancia, es quizás la parte del cuerpo que aporta mayor masculinidad a la pose. Con frecuencia se dibujan las manos pegadas al cuerpo con el brazo extendido, enganchadas al cinturón o simulando que están dentro de los bolsillos.

En el figurín para *streetwear* se emplean también posturas de frente con las piernas abiertas, brazos cruzados o poses dinámicas representando movimiento.

Dependiendo del tipo de ropa a diseñar, observe y capture esquemáticamente las posturas de modelos en fotografías de revistas especializadas o simplemente haga un ejercicio de observación del *streetstyle* masculino de su entorno, esto le permitirá dibujar figurines con poses más realistas y mejor ajustadas a las prendas de hombre.

Figura 5.12. Figurín masculino de **Baiba Ladiga** (***www.ladiga.com***) Shanghai, China.

Figura 5.13. Figurines con pose masculina creados por **Wen Wang** (***http://www.behance.net/maggiewenwang***) Filadelfia, USA.

Figura 5.14. Figurines con actitud creados por **Mengjie Di** (***http://mengjiedi.blogspot.com***) USA.

Figura 5.15. Distintos estilos de figurín creados por **Mengjie Di** (***http://mengjiedi.blogspot.com***) por encargo de la agencia de predicción de tendencias ***Stylesight.com***.

CAPÍTULO 6

EL FIGURÍN ESTILIZADO

El diseñador de moda actual puede elegir dibujar sus diseños sobre figurines convencionales o figurines técnicos, su decisión debe ir ligada al sector de la moda donde desarrolle su actividad. Con frecuencia, se utilizan figurines técnicos en el diseño de moda pronta o *prêt-à-porter* cuyo ritmo de producción obliga al creador a reducir sus tiempos de entrega y por ende a prescindir de detalles estéticos superfluos.

Sin embargo, dentro del mundo de la moda sigue habiendo sectores donde se valora especialmente el trabajo minucioso, hecho con esmero prestando atención a los detalles, se trata del sector de la alta costura (*haute couture*) y del sector nupcial, donde todavía se emplean figurines elaborados con un alto grado de estilización.

Figura 6.1. Figurín de **Sunny Gu** (***http://sunnygu.com***) California.

ESTILIZACIÓN DEL FIGURÍN PARA ALTA COSTURA Y NOVIA

El figurín para diseñar un vestido de alta costura o de novia, además de servir de base gráfica para los diseños, también debe transmitir conceptos intangibles, como lujo, elegancia, delicadeza, serenidad o exclusividad. Para ello, puede optar por estilizar la figura más de lo habitual, utilizando en el dibujo del cuerpo una proporción de 10 o más cabezas de alto.

A la hora de repartir los módulos de la figura en el figurín estilizado, se evitan las proporciones realistas: la cintura se estrecha, el torso se acorta, mientras que las piernas y el cuello se alargan considerablemente.

Estas modificaciones en la estructura corporal, dan como resultado un figurín más esbelto y elegante.

Cuando busque su propio estilo de figurín, no tema experimentar con la exageración de las distintas partes del cuerpo, el dibujo le otorga la libertad de representar formas inexistentes, por lo tanto tiene toda la libertad creativa para crear figuras sin las limitaciones físicas de la realidad.

Figura 6.2. Figurín nupcial estilizado en tres vistas de **Claire Thompson** (*www.helloclaire.com*) Nueva York, USA.

Figura 6.3. Figurines de alta costura con sus proporciones exageradamente estilizadas de **Joseph Larkowsky** (***www.jlarkowskyillustration.com***) Londres.

Figura 6.4. Figurín nupcial estilizado de **Claire Thompson** (***www.belloclaire.com***) Nueva York, USA.

EL FIGURÍN EXCLUSIVO PARA ALTA COSTURA

Los clientes que acuden a una casa de alta costura o taller de moda buscan sobre todo exclusividad y originalidad, cualidades que también deben reflejar los figurines utilizados.

No hay mejor forma de demostrar que un figurín es único y exclusivo que personalizándolo con algunos rasgos del cliente. Estos rasgos no tienen que ser fieles a la realidad, al fin y al cabo el figurín personalizado es una versión hiper-estilizada del cliente. Se trata de seleccionar y plasmar en el figurín sus rasgos más característicos, como por ejemplo el corte y color de pelo o detalles más sutiles como un lunar o rasgo facial peculiar. Eso sí, en todo momento se procura embellecer y estilizar la figura para que favorezca el diseño del vestido y su presentación al cliente. Es conveniente tener en cuenta que un diseño tiene más posibilidades de ser aceptado por un posible cliente si se cuida su presentación porque ¿a quién no le gusta verse reflejado en un figurín con estilo, clase y la pose perfecta?

Figura 6.5. Figurín de alta costura personalizado creado por **Nahrin Sarkisova** (***www.bausofnabrin.com***) California, USA.

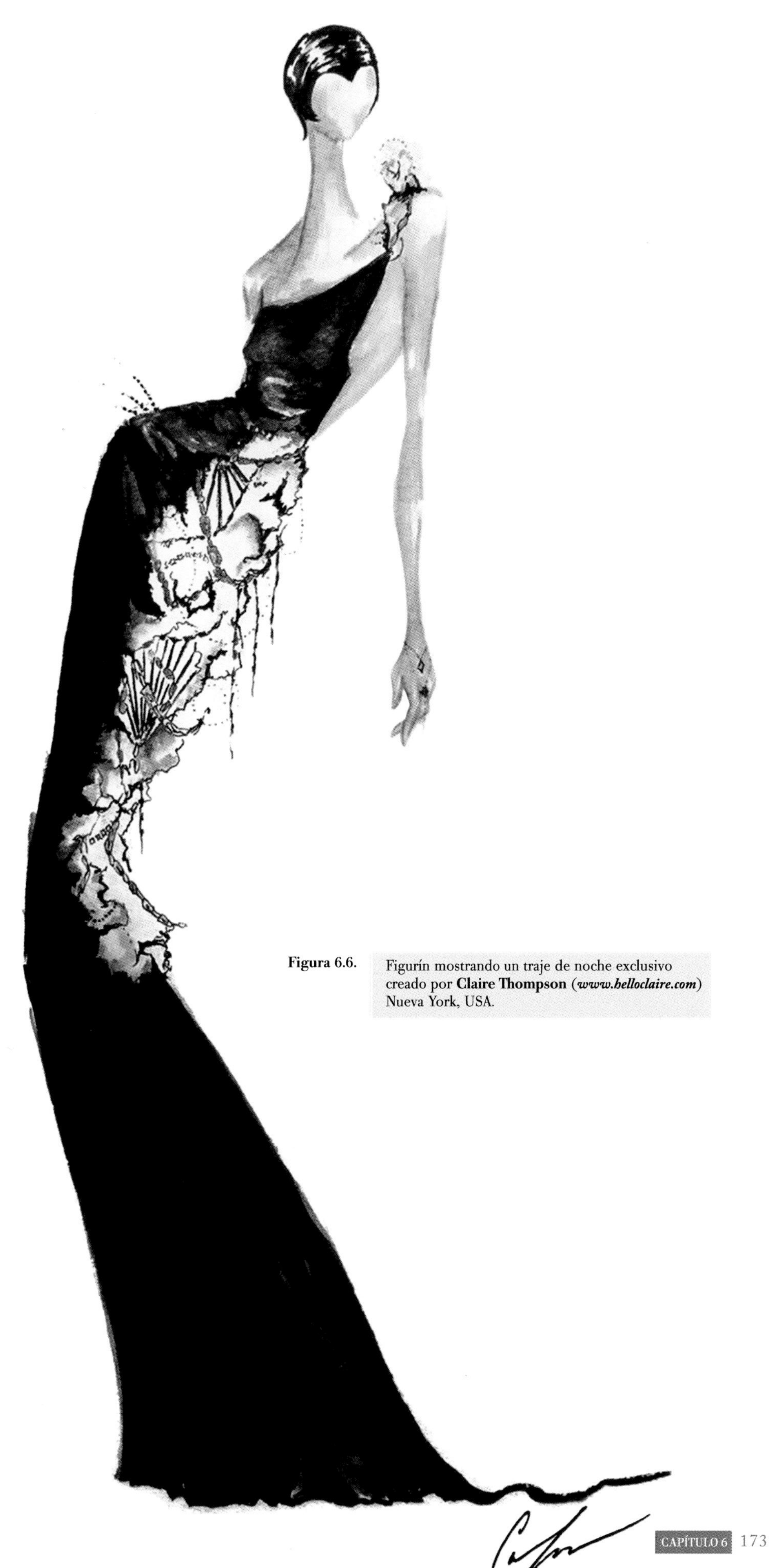

Figura 6.6. Figurín mostrando un traje de noche exclusivo creado por **Claire Thompson** (***www.helloclaire.com***) Nueva York, USA.

EL FIGURÍN ARTÍSTICO

Una obra de arte también es sinónimo de exclusividad, hay creadores de moda con dotes artísticas capaces de plasmar su impronta en el trazado de sus figurines, convirtiéndolos en auténticas obras de arte gráfico. Estos figurines artísticos capturan el concepto, estilo y volumen general del vestido o prenda, dejando a la imaginación los detalles y acabados necesarios para su confección (tejidos, cierres, costuras, etc.).

En muchos casos éstos figurines artísticos no salen del *atelier* o taller de costura y sirven como anotación rápida de su autor para no olvidar la idea o línea de un vestido o conjunto; después el creador explica los detalles precisos para confeccionarlo a su equipo técnico (patronistas, cortadores, modistas, etc.).

A lo largo de la historia de la moda grandes diseñadores y modistos han utilizado este tipo de figurines como catalizadores de su personalidad, dejando junto a las prendas confeccionadas, un legado gráfico de gran valor artístico.

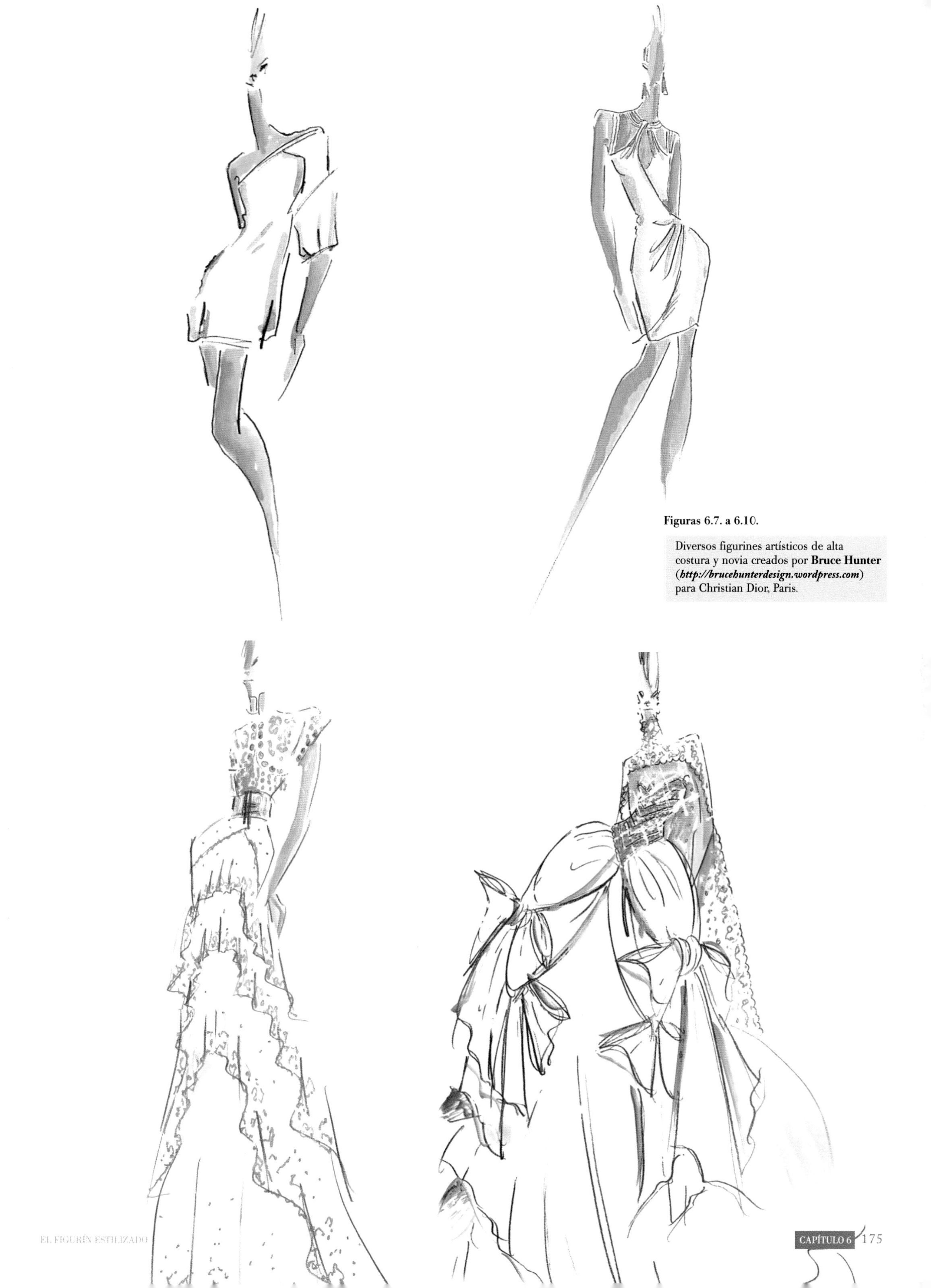

Figuras 6.7. a 6.10.

Diversos figurines artísticos de alta costura y novia creados por **Bruce Hunter** (***http://brucehunterdesign.wordpress.com***) para Christian Dior, Paris.

POSES DEL FIGURÍN NUPCIAL Y DE ALTA COSTURA

Como ha podido comprobar a lo largo de este libro, el diseñador de moda tiene toda la libertad del mundo a la hora de crear sus figurines, pudiendo ser original al dibujar todas sus características y posturas. Sin embargo, en la creación de figurines para el diseño de vestidos de novia y alta costura, existe un denominador común en la elección de la postura de la modelo. Con frecuencia se seleccionan poses estáticas, que transmiten la sensación de estar detenidas en el tiempo. No se dibuja a la modelo imitando el caminar sobre una pasarela, más bien se representa en pose de sesión o retrato fotográfico.

Asimismo, la frecuente voluminosidad inferior de los vestidos de noche y novia provoca la necesidad de hacer ciertas modificaciones en la postura del cuerpo para mostrar con mayor claridad el volumen y detalles de la falda del vestido. Para tal fin, algunos diseñadores arquean de forma exagerada la espalda del figurín, juntan y flexionan las rodillas o apoyan ambas manos en la cintura en busca también del equilibrio visual de la figura. Observe a continuación algunos ejemplos.

Figura 6.11. Figurín nupcial creado por **Claire Thompson** (*www.belloclaire.com*) Nueva York, USA.

Figura 6.12. Figurín creado por **Mengjie Di** (***http://mengjiedi.blogspot.com***) para la colección de trajes de novia del diseñador Ángel Sánchez.

Figura 6.13. Figurín estilizado con traje de noche de **Mengjie Di** (***http://mengjiedi.blogspot.com***) USA.

LA POSE PERFECTA

Con respecto a la posición de brazos y manos también se repite en gran parte de los figurines de alta costura y novias la siguiente pose: una mano se dibuja apoyada sutilmente en la línea de cintura, con el codo apuntando hacia el exterior, mientras que el otro brazo se dibuja extendido tocando ligeramente la cadera. La elegancia que transmite esta postura en particular, la ha convertido en una de las poses más dibujadas a lo largo de la historia del diseño e ilustración de moda siendo considerada por muchos como la pose perfecta.

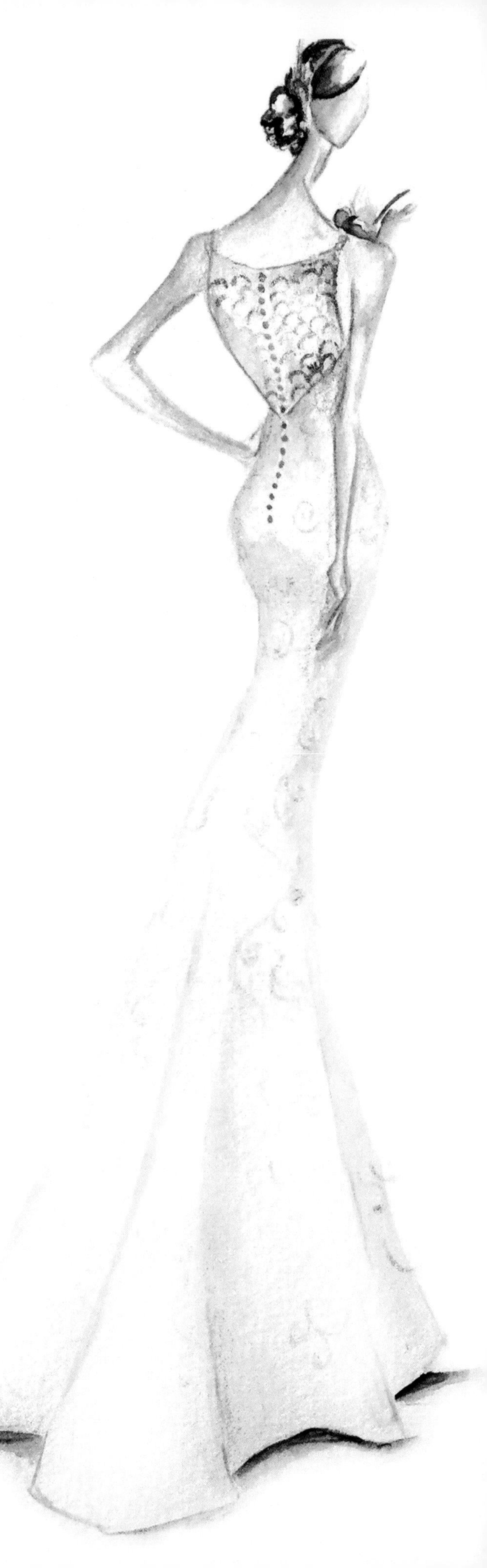

Figura 6.14. Vista trasera de la considerada por muchos como la pose de moda perfecta. Un figurín nupcial de **Claire Thompson** (***www.helloclaire.com***) Nueva York, USA.

OPINIÓN EXPERTA: HAYDEN WILLIAMS DISEÑADOR DE MODA

Son pocos los diseñadores capaces de desenvolverse con la misma soltura en el sector de la moda *prêt-à-porter* y de la alta costura. Se requiere un talento especial para diseñar tanto ropa de calle como vestidos de alta costura y conservar intacto el estilo personal. El diseñador de moda británico **Hayden Williams** es uno de esos talentos que combina el diseño de moda, con su pasión innata por la ilustración y un refinado gusto por el glamour y las *celebrities*. Sus figurines, que cuentan ya con miles de seguidores, son toda una inspiración. A continuación incluimos una entrevista donde nos comenta los métodos y las técnicas que utiliza en su creación, confiando en que le sirvan de inspiración y motivación.

HAYDEN WILLIAMS

http://haydenwilliamsillustrations.tumblr.com

Londres

Figura 6.15. El diseñador **Hayden Williams.**

Como ilustrador de moda tiene un estilo muy definido y una estética propia, ¿cómo lo logró?

Para mí personalmente creo que todo se reduce a tener una visión clara de lo que quiero reflejar en mis diseños y del tipo de mujer a la que me gustaría vestir con mi firma de moda.

Conseguir un estilo propio de ilustración es algo que sucede de forma natural con el paso del tiempo y tras dedicar muchas horas a ilustrar. Poco a poco vas añadiendo detalles que añaden un toque único a tus ilustraciones. Creo que la gente identifica mis trabajos por la actitud que muestran los figurines, las poses, las prendas, las piernas ultra-largas o el monograma HW que dibujo en cinturones y bolsos.

¿Qué diseñadores o ilustradores de moda le han influenciado?

Siempre me han gustado **David Downton**, **Robert Best** y **Edith Head**. Todos ellos tienen un estilo súper elegante y representan a las mujeres con mucho glamour. Sus ilustraciones parecen atemporales y continúan siendo estilosas con el paso de los años.

¿Es autodidacta o cursó estudios en algún centro especializado en moda?

Con respecto a mis conocimientos en ilustración soy autodidacta, dibujo desde que tenía 3 años y he ido progresando de forma natural con los años. Cuando decidí estudiar diseño de moda, fui a la universidad para aprender las bases en la confección de prendas y tejidos estudiando innovación en producto de moda.

A la hora de dibujar un figurín de mujer, ¿sigue algún canon de proporción especial?

No necesariamente, dejo al lápiz que haga lo que tiene que hacer y todo lo demás sale de forma espontánea.

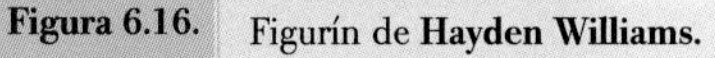

Figura 6.16. Figurín de **Hayden Williams.**

¿Alguna clave para dibujar un figurín con estilo?

Creo que cada diseñador tiene una forma distinta de hacer que sus figurines tengan estilo, es muy subjetivo, lo que para unos puede tener estilo para otros puede no tenerlo. No obstante, personalmente considero que tiene que ver con todo el conjunto que forman la silueta, la pose y la personalidad de la ilustración. Yo trato mis figurines como si fueran modelos de verdad, las estilizo y visto de acuerdo con el tema y el estilo que trato de representar en ese momento. Cuando estoy dibujando un figurín tengo en cuenta todos los detalles, las prendas, el calzado, el maquillaje, el peinado y demás accesorios para que al terminarlo resulte inspirador y a la vez intrigante. Creo que precisamente por eso mis ilustraciones han causado tanto furor entre todo tipo de mujeres, ¡quieren llevar mis diseños y estilismos para parecerse a los figurines que dibujo!

¿Algún consejo para dibujar mejor figurines de mujer y hombre?

Diría que prestar extrema atención a los detalles y centrarse en conseguir un *look* total. Para ello es bueno leer editoriales de moda, ver desfiles de moda y observar con detenimiento cómo las modelos y las prendas se comportan en movimiento mientras desfilan por la pasarela. Además de darle personalidad a la ilustración y hacer que parezca que podría saltar en cualquier momento del papel y convertirse en real. Por último, dibujar, dibujar y dibujar hasta que estén felices con el resultado.

¿Podría describir el proceso que sigue para crear una ilustración de moda?

Por lo general ya tengo claro desde el principio lo que quiero dibujar y en ocasiones dibujo un boceto previo antes de comenzar el definitivo. Trabajo con lápices y rotuladores profesionales que mezclan bien el color y utilizo un rotulador fino para marcar contornos y definir líneas. También utilizo un lápiz blanco tipo tiza para destacar zonas concretas del dibujo como por ejemplo brillos en el pelo, en la piel o en algún tejido brillante. Una vez que finalizo el boceto o *sketch* inicial le pongo nombre al figurín para otorgarle mayor personalidad. Después de este proceso a mano, escaneo el original y lo edito, pero aclaro que no utilizo *Adobe Photoshop* durante el proceso de dibujo, únicamente lo hago a la hora de limpiar la ilustración y ajustar el fondo antes de dar a conocer al gran público el resultado final del figurín. Me gusta que mis ilustraciones mantengan la apariencia de estar realizadas a mano y no creadas digitalmente.

Figura 6.17. Figurines en pasarela de **Hayden Williams.**

¿Qué herramientas tradicionales de dibujo utiliza o recomienda?

Siempre he trabajado con herramientas y medios muy simples. Desde que era niño he trabajado con el lápiz al igual que hoy en día. Utilizo un papel blanco tamaño A-4 normal como base para dibujar. Para colorear las ilustraciones durante años lo hice con lápices de colores, hasta que descubrí los rotuladores profesionales y desde entonces no he vuelto a mirar atrás. El acabado que se consigue coloreando con rotuladores es mucho mejor.

¿Cuánto tiempo le lleva dibujar y terminar un figurín de moda?

Depende de la cantidad de detalles que lleve la ilustración y del tema que esté dibujando en particular. Un boceto rápido o *rough sketch* me puede llevar entre 10-15 minutos, pero un figurín mejor acabado y con color me puede llevar más de una hora.

A la hora de dibujar figurines de moda inspirados en celebrities cambia ligeramente la proporción de la cabeza si la comparas con el resto de sus figurines ¿es por algún motivo en especial?

Me gusta estilizar las figuras un poco, que no sean particularmente realistas. Cuando dibujo celebridades, nunca intento que sus figurines sean una réplica fiel, sino que como artista le doy mi toque personal, al igual que lo hacen los artistas de retrato. Creo figurines para diseñar moda por lo que intento centrar la atención en el diseño de las prendas. La mayoría de las veces la gente reconoce en quién me he inspirado o a quién está dedicado el figurín.

Entonces en la mayoría de las ocasiones ¿sus figurines muestran sus propios diseños de moda?

Sí, los diseños que visten mis figurines suelen ser de creación propia. Me inspiro en editoriales de moda *vintage* de los años 50 y principios de los 60.

Figura 6.18. Figurines de alta costura de **Hayden Williams.**

Obtengo la inspiración del pasado pero la traslado al presente de forma no demasiado drástica. Quiero conservar ese aire clásico, pero adaptado a la mujer del siglo 21. Intento centrarme en la silueta, el corte y el entallado. Si se fija en mis figurines verá que las prendas se ajustan bien a la figura, realzando el cuerpo femenino.

Para finalizar, ¿qué consejo final le daría a aquellos que están aprendiendo diseño e ilustración de moda y aún temen entrar a formar parte del mundo de la moda?

Tiene que apasionarles la moda al 150% y amar de forma genuina lo que están haciendo. Primero han de encontrar cual de las facetas dentro del mundo de la moda es la que más les gusta, después tienen que centrarse en aprender y desarrollar esa faceta con todos sus esfuerzos, no queda tiempo para distracciones en este sector.

También les recomiendo que utilicen las redes sociales para promocionar su trabajo. Una vez que tengan un gran *portfolio on-line* se trata de mantenerlo actualizado y ser constante con ello. Tener una familia que te apoya y te hace poner los pies en la tierra cuando el éxito se cruza en tu camino es estupendo. Que no teman entrar en la industria de la moda, se trata de confiar plenamente en uno mismo, en sus habilidades y talento.

Figura 6.19. Figurines de alta costura de **Hayden Williams.**

Figuras 6.20. - 6.23.

Figurines de novia de **Hayden Williams** (***http://haydenwilliamsillustrations.tumblr.com)*** Londres.

CAPÍTULO 7

TÉCNICAS DIGITALES DE CREACIÓN DE FIGURINES

Durante la última década la tecnología se ha instalado de lleno en nuestras vidas, los avances informáticos y las posibilidades comunicativas han transformado por completo nuestra forma de vivir, de trabajar y por supuesto de diseñar.

Sin duda, uno de los sectores profesionales más beneficiado por esta revolución tecnológica es el sector de la moda, especialmente sensible a todos los cambios y mejoras en los sistemas de producción y difusión.

En una profesión como la de diseñador de moda, el factor tiempo es muy importante, el ritmo del mundo de la moda es frenético y está en continuo movimiento. Es preciso lanzar colecciones dos veces o incluso cuatro veces al año y los diseños deben estar preparados con el suficiente tiempo de antelación para llevar a cabo todo el proceso de desarrollo de cada prenda (patronaje, escalado, cortado, confección, planchado, acabado y distribución).

Dedicarse al mundo de la moda es sinónimo de estar en constante evolución, al corriente de las últimas tendencias y tecnologías de fabricación textil.

Progresivamente, el diseñador / figurinista / estilista de moda ha sabido incorporar el ordenador en su metodología de trabajo, introduciendo en su proceso creativo, herramientas y técnicas de diseño digitales para agilizar los plazos de entrega al reutilizar inteligentemente sus figurines. El ordenador puede ser el aliado perfecto para la creación de figurines, aportando ventajas adicionales; como la edición, la corrección o la reutilización ilimitada de cada figurín, permitiendo al diseñador emplear su preciado tiempo en buscar nuevas ideas o mejorar sus diseños.

EL DISEÑO DE MODA ASISTIDO POR ORDENADOR

Actualmente todo el proceso de creación de una prenda de vestir, desde la concepción inicial del diseño hasta la confección y distribución final de la prenda, puede ser realizado con ayuda tecnológica.

La industria de la moda es una de las industrias que mejor aprovecha la denominada tecnología CAD-CAM.

CAD son las siglas de *Computer Aided Design* (Diseño Asistido por Ordenador) y se aplican a todos aquellos sistemas que permiten la realización de diseños con la ayuda de un ordenador. En ocasiones a las siglas CAD se le añade **CAM** cuyo significado es *Computer Aided Manufacturing* (Fabricación Asistida por Ordenador).

Analizando el proceso de fabricación de una prenda de vestir encontraremos sistemas CAD-CAM en prácticamente todas las fases de su desarrollo. Brevemente podríamos resumir dicho proceso en los siguientes estadios: inicialmente se crea el diseño de la prenda empleando herramientas de diseño asistido por ordenador, a continuación se realizan los patrones de la prenda utilizando sistemas CAM de patronaje y marcada, después se procede al extendido del tejido y al cortado automatizado del mismo, las prendas cortadas se transportan a la cadena de confección; una vez la prenda está confeccionada y revisada, tras pasar por el departamento de marketing, comienza su distribución en el mercado.

Los demostrados beneficios del CAD-CAM incluyen un aumento considerable en la productividad, reducen el tiempo de fabricación y mejoran la creatividad, porque el diseñador dispone de más tiempo para explorar diversas posibilidades de color, investigar nuevas texturas, visualizar los prototipos antes de ser confeccionados y un largo etcétera de ventajas que hacen que cada día más empresas de moda confíen en sistemas CAD-CAM para crear sus colecciones.

Dada la especialización de los diversos sectores que conforman la industria de la moda, en la actualidad se emplea el término más específico **CAFD** con el fin de abarcar únicamente las diversas opciones de diseño de moda asistido por ordenador. **CAFD** son las siglas de *Computer Aided Fashion Design* (Diseño de Moda Asistido por Ordenador o Diseño de Modas Asistido por Computadora).

EQUIPAMIENTO INFORMÁTICO NECESARIO PARA CAFD

Los diseñadores de moda profesionales utilizan el ordenador de muy diversas formas, por ejemplo hay diseñadores que prefieren dibujar a mano su figurín para después escanearlo, colorearlo y optimizarlo con la ayuda de software de diseño asistido. Hay otros diseñadores que directamente crean sus diseños con el ordenador, empleando para su dibujo, el ratón o un lápiz óptico sobre una tableta digitalizadora.

El equipamiento informático, o el hardware básico para la realización de diseño de moda asistido por ordenador es similar al equipo necesario para cualquier otra rama del diseño asistido, es importante disponer de un buen monitor (21"24",27"...) suficiente memoria RAM para manejar los gráficos con soltura (a partir de 4 Gb), una buena tarjeta gráfica optimizada para mostrar gráficos en dos dimensiones, un escáner y una impresora a color. Si tiene buena mano para el dibujo, también es recomendable disponer de una tableta digitalizadora (Wacom o similar) para poder dibujar directamente con su lápiz óptico sensible a la presión.

EL SOFTWARE PARA EL DIBUJO DE FIGURINES

No es que exista un programa de software concreto y específico para el dibujo de figurines. Como bien sabe, el dibujo de figurines forma parte del proceso inicial del diseño de una prenda de vestir, por lo tanto, para dibujar figurines se utilizan los mismos programas aptos para el diseño de moda por ordenador.

En el mercado encontrará dos tipos de software que podrá utilizar para diseñar moda: el software profesional especializado y el software de diseño estándar como los programas de diseño gráfico, retoque fotográfico, etc.).

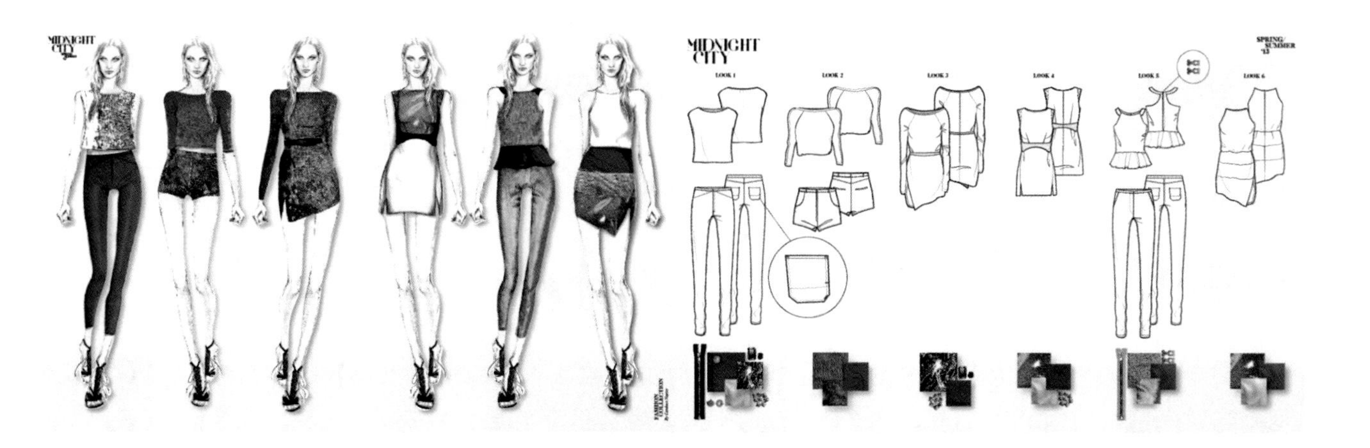

Figura 7.1. Figurines dibujados a mano, escaneados y posteriormente tratados con *Adobe Photoshop* para añadir detalles y el dibujo en plano de las prendas. Creados por **Candace Napier** (***http://candacestudio.com***) Nueva York.

PROGRAMAS ESPECIALIZADOS DE DISEÑO DE MODA

Aunque existen numerosos programas especializados para el diseño de moda, tres de ellos son los más utilizados en las grandes firmas del sector, por su versatilidad y compatibilidad con el resto de equipos CAD-CAM utilizados en la empresa. Se trata de los programas *Lectra Kaledo Style* (***www.lectra.com***), *C-Design Fashion* (***www.cdesignfashion.com***) y *Audaces Idea* (***www.audaces.com***).

El programa de diseño de moda *Lectra Kaledo Style* pertenece a la empresa francesa *Lectra*, líder mundial en el mercado de la tecnología del sector que cuenta entre sus clientes a las firmas de moda: *Cerruti, Christian Dior, Christian Lacroix, Givenchy, Hermès, Hugo Boss, Kenzo, Sonia Rykiel, Thierry Mugler, Yves Saint Laurent, Burberrys, Gucci, H&M*, etc. En *Lectra* aportan soluciones específicas de software y hardware para todo el proceso productivo de la prenda: estaciones CAD-CAM para patronaje, escalado y marcada, plotters, cortadoras, carros de extendido de tejido y un largo etcétera de posibilidades para la industria de la moda.

La empresa *C-DESIGN®*, fundada en 1998, pronto se convirtió en una empresa especializada en software para la industria textil cuya sede central está ubicada en el distrito de la moda de Paris. En el año 2002 lanzó el programa *C-DESIGN Fashion®* (***www.cdesignfashion.com***), un programa específico para el diseño de moda profesional que en la actualidad utilizan empresas como el Grupo *Inditex, Pimkie o Wal Mart* para sacar sus colecciones al mercado en un tiempo récord.

Otro de los programas específicos para el diseño de moda es *Audaces Idea* (***www.audaces.com***) perteneciente a la gama de soluciones CAD-CAM de *Audaces* una empresa brasileña que desarrolla soluciones tecnológicas de software y hardware para la automatización de procesos productivos en el sector moda desde 1992. En los últimos años los programas de diseño, patronaje, simulación de patrones en 3D, escalado y marcado de *Audaces* se han convertido en todo un estándar en la industria del textil y de la confección en países de habla hispana.

Figura 7.2. Información del programa especializado para el diseño de moda *Lectra Kaledo Style.*

FIGURINES EN 3D

Todas las empresas de software especializado para la industria de la moda mencionadas, cuentan entre sus soluciones con un programa para la previsualización de patrones sobre modelos o maniquíes en entornos tridimensionales. Éstos modelos o figurines en 3D, no se utilizan en la fase de diseño, pero sin embargo sí se emplean, conjuntamente con software de patronaje por ordenador para hacer simulaciones de como va a quedar la prenda una vez confeccionada.

En el momento de escribir estas líneas, las herramientas de diseño en 3D, siguen resultando poco intuitivas y prácticas para diseñar moda de forma profesional. De todos modos es interesante conocer la existencia de éstos maniquíes virtuales o figurines en 3D, además, pueden servirle para capturar poses en 3D y aplicarlas después a sus figurines en dos dimensiones.

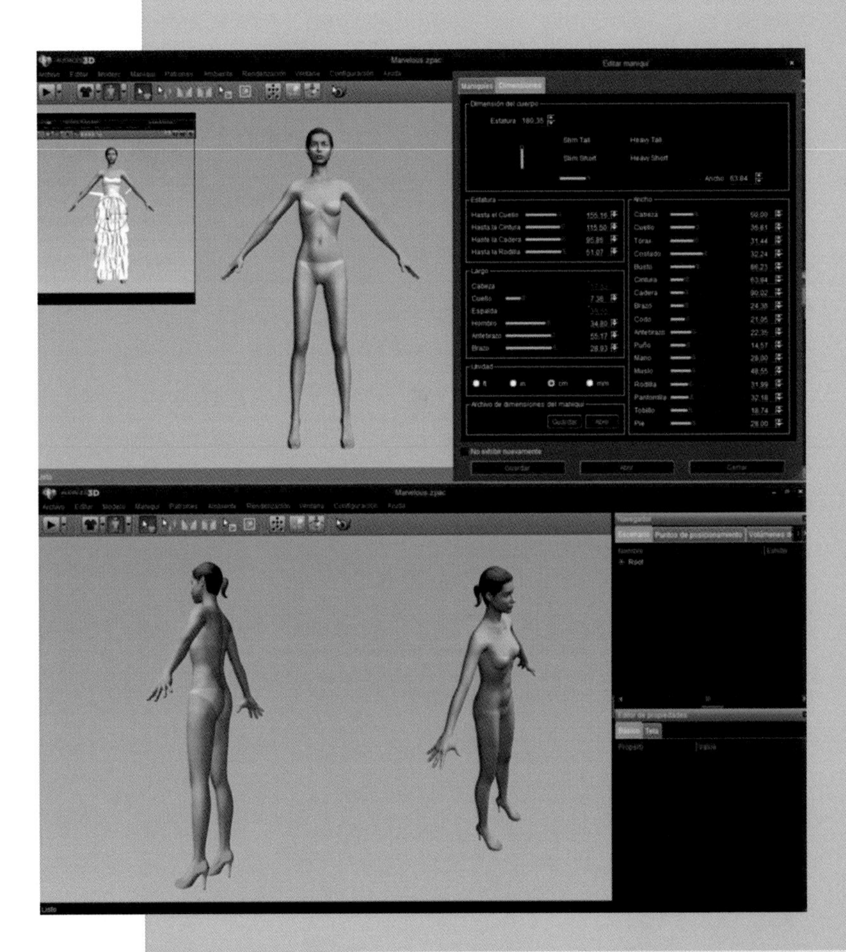

Figura 7.3. Capturas de pantalla del software de simulación de patrones *Audaces 3D* donde se puede observar el maniquí virtual o figurín 3D desde diversos ángulos.

PROGRAMAS DE DISEÑO ESTÁNDAR UTILIZADOS EN EL DISEÑO DE MODA

Los programas mencionados anteriormente tienen un precio poco asequible para diseñadores independientes o pequeñas empresas de diseño, por eso son muchos los profesionales del diseño de moda que optan por adaptar programas de diseño gráfico más asequibles, para utilizarlos como herramientas diseño de moda y dibujo de figurines.

Entre el software de diseño gráfico e ilustración estándar, encontrará diversos programas cuyas herramientas de dibujo y edición son perfectamente válidas para diseñar moda y crear figurines digitales, siendo los más utilizados en el ámbito profesional: *CorelDRAW* (***www.corel.com***), *Adobe Illustrator* (***www.adobe.com***), *CorelPainter* y *Adobe Photoshop*.

Figura 7.4. Figurín en distintas poses y vestidos realizado íntegramente con herramientas digitales por **Anna Miminoshvili** (***http://www.studio713.ru***) Rusia.

EL FIGURÍN DIGITAL Y SUS FORMATOS

Tanto si utiliza software especializado, como los programas de diseño estándar para la creación de sus figurines, estará creando gráficos o imágenes por ordenador. Los gráficos creados con herramientas digitales se clasifican en dos tipos principales de imagen:

- **Imágenes o gráficos vectoriales**
- **Imágenes de mapa de bits**, también conocidas como imágenes *raster* o *bitmap*.

Es conveniente desde el principio, distinguir entre los dos tipos principales de imágenes creadas por ordenador, así sabrá si sus figurines son de naturaleza vectorial o *bitmap*.

LOS GRÁFICOS VECTORIALES

Los gráficos vectoriales, también llamados imágenes orientadas a objeto, se definen matemáticamente con una serie de puntos unidos por líneas denominados **nodos**.

Los elementos gráficos presentes en un gráfico vectorial se denominan **objetos**. Cada objeto es una entidad completa con propiedades tales como color, forma, contorno, tamaño y posición en la pantalla, que están incluidas en su definición.

Considerando que cada objeto es una entidad completa, se puede mover y cambiar sus propiedades una y otra vez manteniendo su claridad y nitidez originales, sin afectar a los restantes objetos de la ilustración.

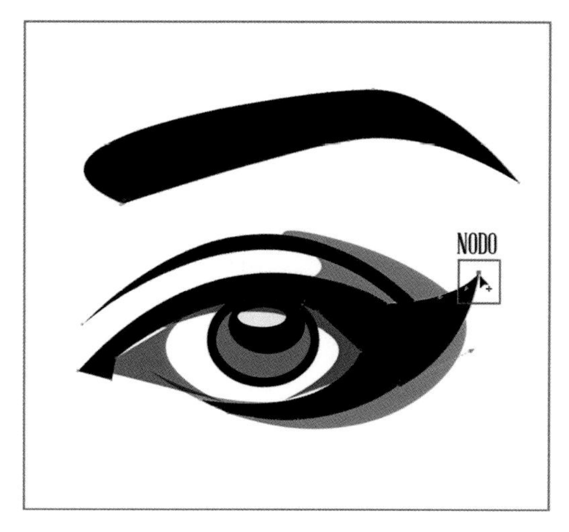

Figura 7.5. Imagen o gráfico vectorial compuesto por nodos.

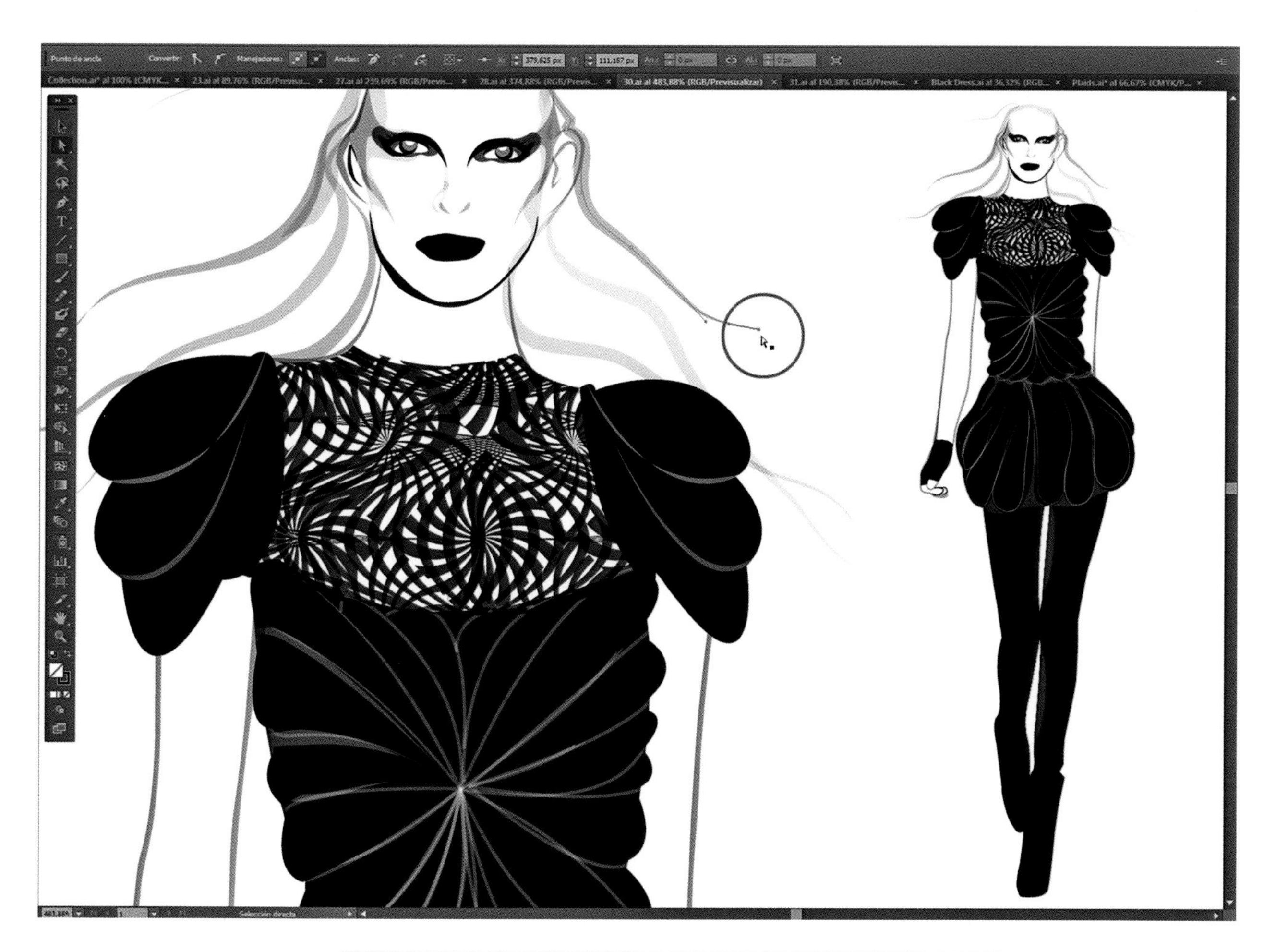

Figura 7.6. Imagen o gráfico vectorial donde se puede apreciar uno de sus nodos seleccionado. Creado por **Will Ev** (***http://nazgrelle.deviantart.com)*** Malasia.

Figura 7.7. Colección de figurines en formato vectorial creada por **Will Ev** (***http://nazgrelle.deviantart.com)*** Malasia.

Al contrario que las imágenes de mapa de bits, los gráficos vectoriales son escalables sin pérdida de calidad, pudiendo modificar el tamaño de los figurines sin temor a que empeore su calidad gráfica. Éstas características hacen que los programas vectoriales sean idóneos para la ilustración de moda, en la que el proceso de diseño requiere a menudo la creación y manipulación de objetos individuales.

Por ejemplo, al dibujar un figurín en formato vectorial, podrá mover libremente todos los objetos que lo componen para colocarlo en distintas posturas o poses.

Actualmente los dos programas de diseño vectorial más utilizados en el sector moda son *CorelDRAW* y *Adobe Illustrator*. La elección de trabajar con uno o con otro dependerá de las preferencias personales del diseñador aunque el hecho de que grandes empresas de moda como el grupo *INDITEX* (*Zara, Pull & Bear, Massimo Dutti, Bershka, Stradivarius, Oysho*, etc.) trabajen principalmente con *CorelDRAW* lo han convertido en el programa de diseño gráfico vectorial estándar en el sector del diseño de moda profesional, sobre todo en España y demás países de habla hispana.

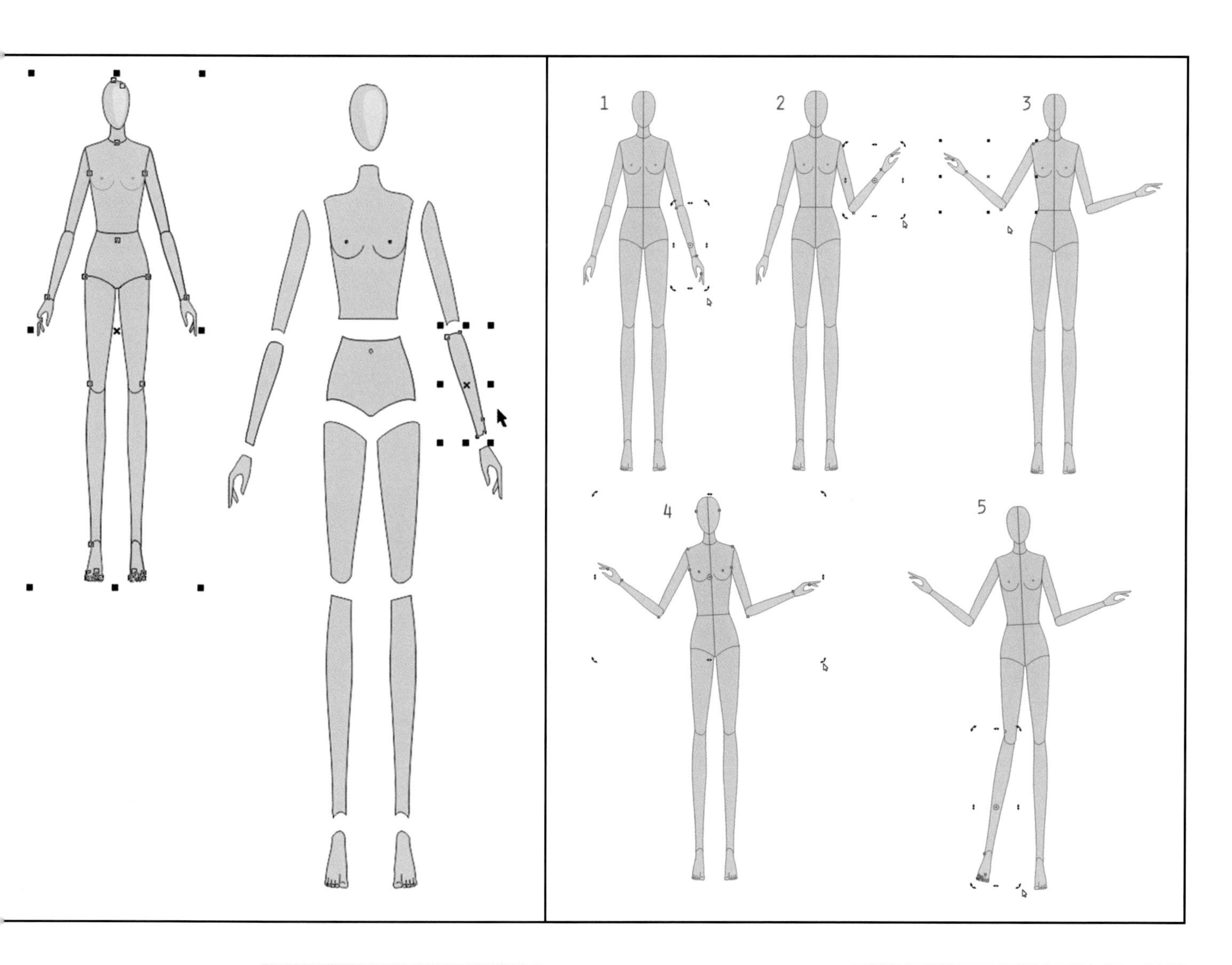

Figura 7.8. Despiece de un figurín vectorial básico, como se puede observar, está compuesto por varios objetos individuales.

Figura 7.9. Cambiando la pose a un figurín vectorial creado en CorelDRAW, mediante la selección de los objetos o partes del cuerpo que lo conforman.

LAS IMÁGENES DE MAPA DE BITS

Es conveniente saber diferenciar desde el principio los gráficos vectoriales de las imágenes de mapa de bits.

Las imágenes de mapa de bits, *bitmap* o *raster* están compuestas de puntos individuales denominados **píxeles** dispuestos y coloreados de formas diversas para conformar un patrón. Al aumentar la imagen, se podrán ver los cuadros individuales que componen la imagen completa. Por ejemplo son imágenes de mapa de bits las fotografías realizadas con una cámara digital o los figurines digitalizados mediante un escáner.

La reducción del tamaño de un mapa de bits distorsiona la imagen original, ya que se eliminan algunos píxeles para reducir el tamaño de la imagen. Asimismo, debido a que las imágenes de mapa de bits forman conjuntos de píxeles ordenados, sus distintos elementos no pueden manipularse de forma individual por lo que no son tan versátiles como los gráficos vectoriales.

Los programas para la edición de mapa de bits más utilizados en la actualidad para el diseño de moda son por orden de mayor número de usuarios, *Adobe Photoshop, Corel Painter* y *Corel Photo-Paint.*

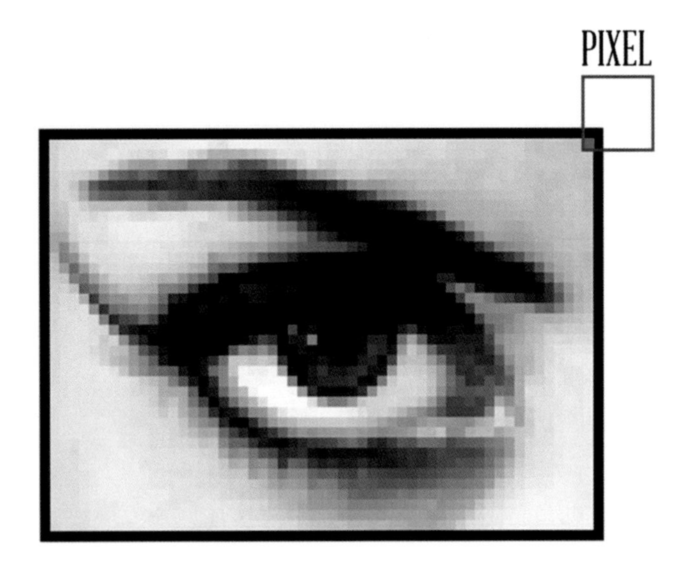

Figura 7.10. Imagen de mapa de bits o bitmap donde se pueden apreciar los píxeles.

Figura 7.11. Figurín escaneado en formato mapa de bits o *bitmap.* Al ampliar el tamaño se pierde calidad de imagen. Figurín creado por **Mengjie Di** (***http://mengjiedi.blogspot.com***).

¿FIGURINES VECTORIALES O BITMAP?

Ahora que conocemos la existencia de dos tipos principales de imágenes de ordenador, ¿cómo saber que tipo de imagen debemos utilizar a la hora de crear un figurín para el diseño de moda? Los gráficos vectoriales serán los ideales para la creación por ejemplo de figurines que vayan a ser reutilizados en varios diseños, figurines planos de tipo técnico, diseños de moda muy ricos en detalles o para el diseño de estampados textiles.

Las imágenes de mapa de bits serán las utilizadas cuando empleemos un escáner para digitalizar nuestros diseños o bocetos ya realizados a lápiz y queramos mejorarlos con medios digitales.

Hace unos años, cuando el ordenador empezaba a hacerse un hueco en los estudios o talleres de diseño de moda lo más común era realizar un boceto o diseño a mano para después escanearlo y darle color con *Adobe Photoshop* u otro programa de tratamiento digital de imágenes. Pero este método era muy limitado, sobre todo cuando se trataba de reutilizar el mismo figurín para crear distintos diseños. Fue entonces cuando empezaron a utilizarse con mayor frecuencia programas de diseño vectorial en el diseño de moda, ya que permitían cambios ilimitados en los diseños y finalmente generaban un archivo menos pesado y por ende más fácil de compartir o enviar por medios digitales como Internet.

Figura 7.12. Figurines en formato vectorial con estampados, creados por **Will Ev.** (***http://nazgrelle.deviantart.com***) Malasia.

Figura 7.13. Reutilizando figurines vectoriales para mostrar una colección, **Will Ev.** (***http://nazgrelle.deviantart.com***) Malasia.

Figura 7.14. y 7.15. Los programas de diseño vectorial son tan versátiles que permiten reutilizar un mismo figurín para diseñar una colección completa, **Will Ev**. (***http://nazgrelle.deviantart.com)*** Malasia.

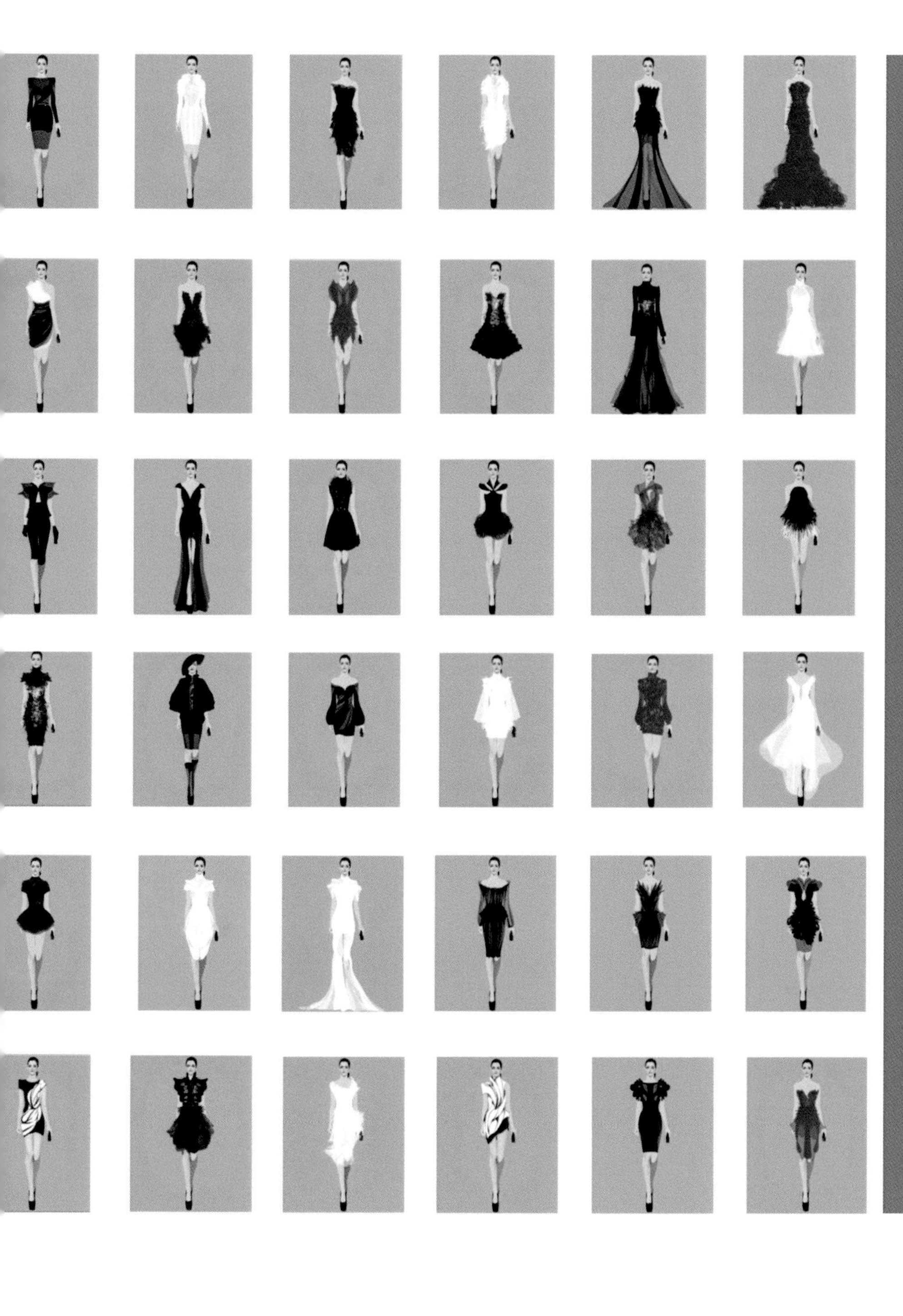

Aunque los programas de diseño vectorial requieren una curva de aprendizaje bastante mayor que los programas de tratamiento digital de imágenes, el esfuerzo inicial para aprender su manejo se ve recompensado ampliamente en el día a día del diseñador. Con un programa de diseño vectorial puede utilizar una y otra vez el mismo figurín, modificar sin perder calidad gráfica todos sus elementos, probar distintos colores rápidamente, modificar su tamaño o cambiar la pose de acuerdo con el diseño a realizar.

De ahí que en este libro recomendemos el formato vectorial y la utilización de programas de diseño vectorial para dibujar figurines y diseñar moda de principio a fin.

FIGURINES EN FICHAS TÉCNICAS

En el mundo del diseño no existen los absolutos, se trabaja siempre en busca de la productividad y creatividad. Hemos visto que a la hora de crear un figurín por ordenador se puede utilizar el formato vectorial o el de imagen de mapa de bits, sin embargo también es posible emplear ambos formatos de imagen a la vez para crear un mismo diseño. Los programas de diseño actuales permiten trabajan indistintamente con gráficos vectoriales y *bitmap*.

Como hemos comentado anteriormente, los diseñadores de moda emplean diversas técnicas a la hora de diseñar una prenda, la más común es la de dibujar un figurín más o menos estilizado vistiendo la prenda en cuestión. Dada la estilización de estos diseños conceptuales, una vez que el diseño es aprobado, es preciso crear una ficha técnica con el dibujo en plano de la prendas y todos los detalles específicos para su producción, asegurándose de que no habrá ningún tipo de malentendido a la hora de interpretar el diseño para su confección.

Son muchos los diseñadores que crean su diseño estilizado a mano para, después de escanearlo, adjuntarlo a la ficha técnica correspondiente. Es obvio que los programas de diseño asistido por ordenador son de gran ayuda en el dibujo técnico de las prendas. Con frecuencia se dibujan las prendas en plano o *planar drawings* con programas de diseño vectorial y junto a ellas se incorpora el figurín estilizado creado previamente a mano.

Figura 7.16A. Ficha Técnica de Ayelén Pellegrino.

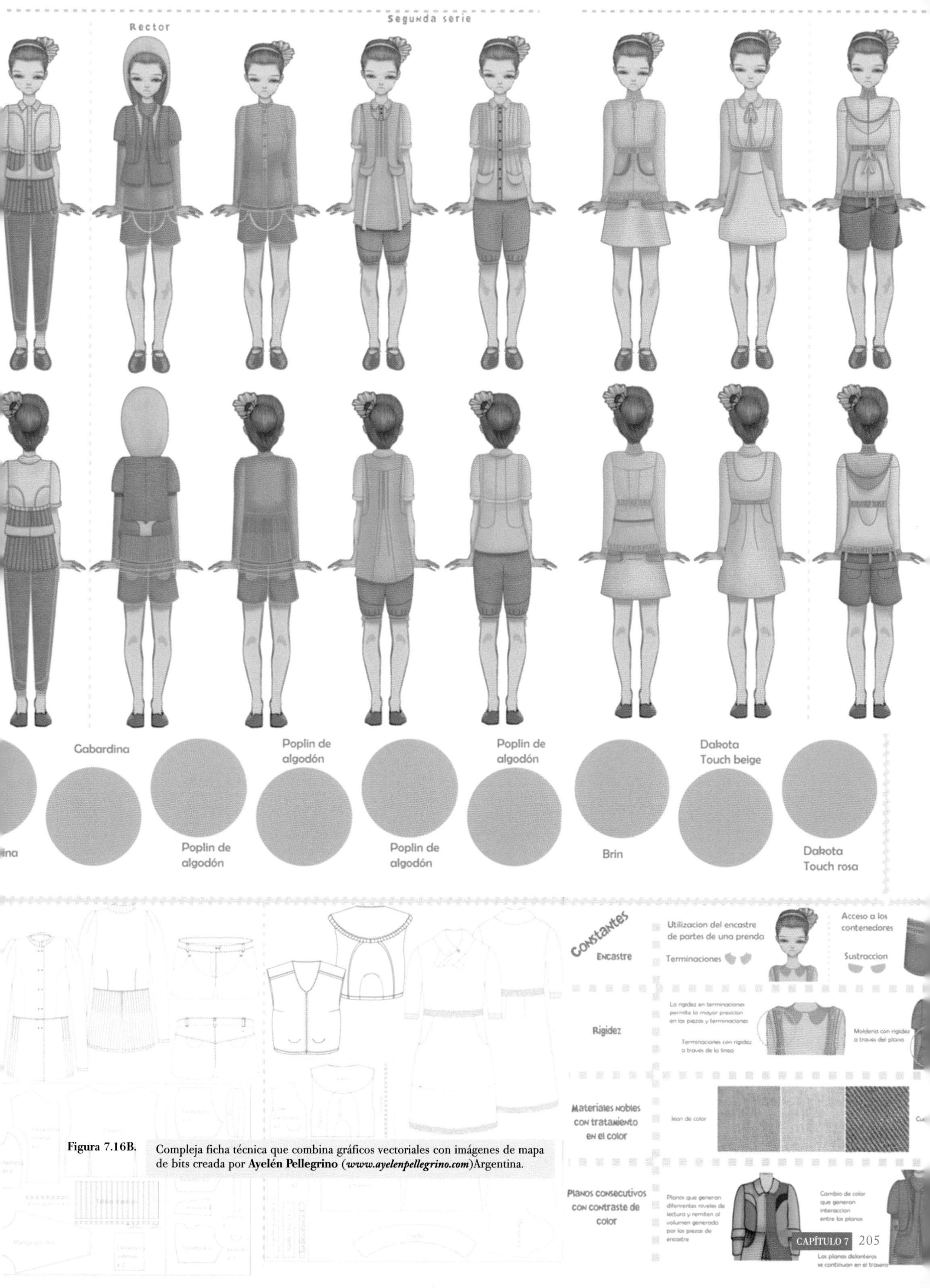

Figura 7.16B. Compleja ficha técnica que combina gráficos vectoriales con imágenes de mapa de bits creada por **Ayelén Pellegrino** (***www.ayelenpellegrino.com***)Argentina.

Figura 7.17. Fichas técnicas creadas en formato vectorial con los dibujos en plano (*planar drawings*) de las prendas para su correcta interpretación, **Hisako Hirouchi** (*www.styleportfolios.com/portfolio.php?username=kotokoto*) Nueva York.

Figura 7.18. Fichas técnicas con el figurín escaneado (formato bitmap) y los dibujos en plano creados en formato vectorial. **Wen Wang** (***http://www.behance.net/maggiewenwang***) Filadelfia, USA.

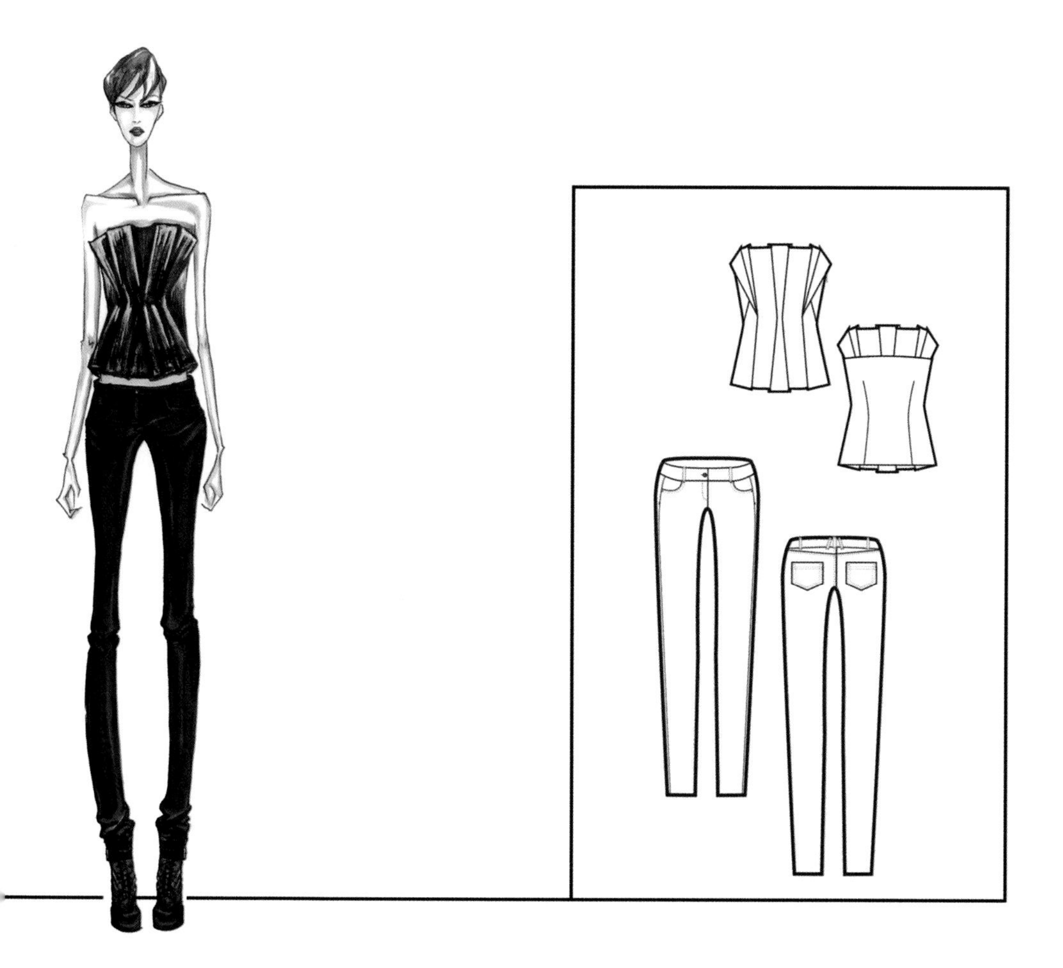

VECTORIZACIÓN DE FIGURINES

Cada vez es mas frecuente trabajar de modo global y descentralizado, las grandes firmas de moda *prêt-à-porter* envían sus diseños y fichas técnicas a sus fabricas en China, India, etc. Es importante optimizar los ficheros que serán enviados a las cadenas de producción, tratando de generar, en la medida de lo posible, archivos digitales con poco peso y compatibles con cualquier ordenador del planeta.

La versatilidad, escalabilidad y reducido tamaño de archivo que ofrecen las imágenes vectoriales hacen que muchas veces sea necesario convertir figurines en formato de mapa de bits en imágenes vectoriales. El proceso de conversión de imágenes de mapa de bits en gráficos definidos por nodos se denomina vectorización.

Figura 7.19. y 7.20. Colección de figurines vectorizados o lo que es lo mismo redibujados con herramientas digitales en un programa de diseño vectorial. **Demi Anne** (***www.demianne.com***),USA.

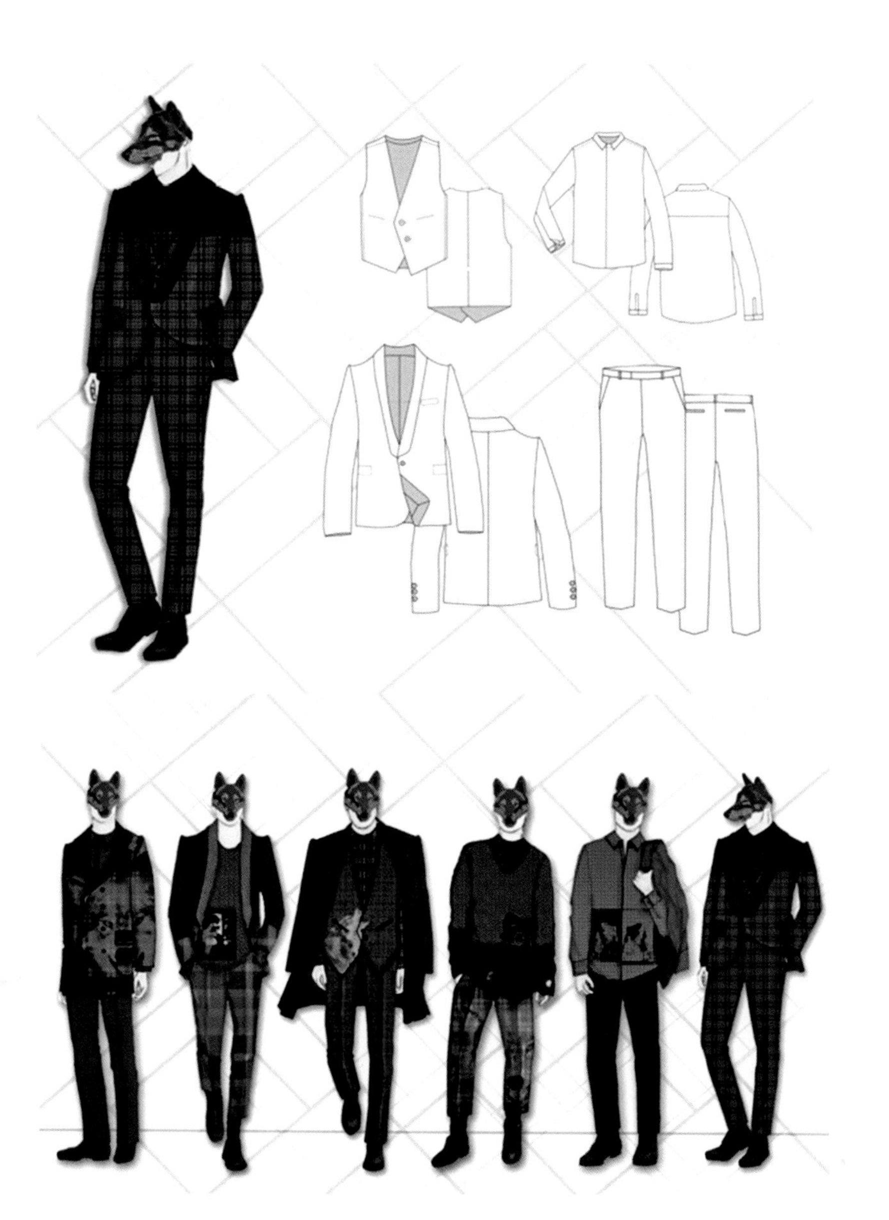

A grandes rasgos el método de vectorización manual consiste en redibujar con las herramientas de dibujo de un programa de diseño vectorial (*CorelDRAW*, *Adobe Illustrator*...) el contenido de una imagen de mapa de bits previamente importada en el documento. En este método se suele colocar la imagen de mapa de bits (figurín original en papel) en una capa inferior para a continuación ir calcando o dibujando por encima con las herramientas de dibujo estándar del programa de diseño.

Las vectorizaciones realizadas de forma «manual» son laboriosas y requieren un buen dominio técnico de las herramientas de dibujo vectorial y de edición de nodos, sin embargo una vez realizada la vectorización del figurín, éste podrá ser reutilizado indefinidamente en numerosos diseños.

FIGURINES DIGITALES Y PLANTILLAS PROFESIONALES PREDISEÑADAS

Como ha podido comprobar a lo largo de este libro, dibujar un figurín base para diseñar sus prendas requiere cierta técnica y tiempo de desarrollo. Es necesario dibujar correctamente sus proporciones, poses, detalles faciales, etc. En un mundo tan competitivo como el de la moda, siempre es interesante ganar unos minutos de tiempo evitando la realización de funciones repetitivas o tareas que pueden ser llevadas a cabo por terceros. Esto motivó la aparición de los denominados, *fashion templates*, figurines digitales prediseñados, listos para utilizar como plantilla base para realizar sus diseños. Precisamente una de las ventajas que ofrecen los programas especializados de diseño de moda frente a los programas estándar es que ya incorporan dentro del programa bibliotecas de *fashion templates* o figurines base desnudos.

FIGURINES DIGITALES DE C-DESIGN FASHION®

La clave del éxito del programa de diseño de moda especializado *C-DESIGN Fashion®* (***www.cdesignfashion.com***), radica en que el motor de gráficos del programa está basado en el motor y la potencia del programa *CorelDRAW*. *En C-DESIGN Fashion®*, han aprovechado las ventajas y la tecnología vectorial de *CorelDRAW*, personalizando, optimizando y completando sus herramientas base hasta cubrir todas las necesidades creativas de un diseñador de moda. Digamos que en *C-DESIGN Fashion®*, conscientes de las posibilidades que ofrecía *CorelDRAW* para la industria de la moda, decidieron añadir todo lo necesario a *CorelDRAW* como funciones de dibujo, bibliotecas de prendas, fichas técnicas..., e incluirlo en *C-DESIGN Fashion®*, uno de los paquetes de software de diseño de moda/textil especializado más completos e intuitivos del mercado.

Precisamente una de las grandes ventajas de diseñar con el software *C-DESIGN Fashion®* es la extensa biblioteca de figurines técnicos de hombre, mujer y niño que ya incorpora el programa, listos para comenzar a diseñar prendas sobre ellos. A continuación incluimos una muestra de dichos figurines, sin vestir y vestidos.

Figura 7.21. a 7.27. Figurines técnicos en formato vectorial incluidos en la biblioteca de figurines del programa especializado *C-DESIGN Fashion®*.

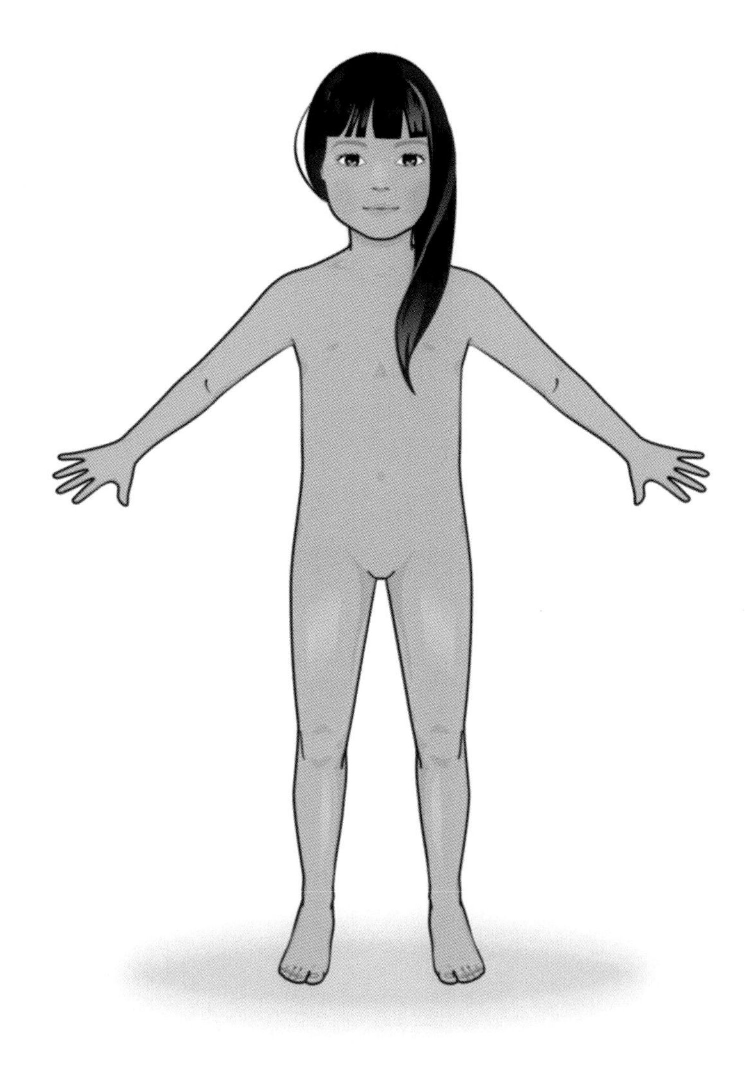

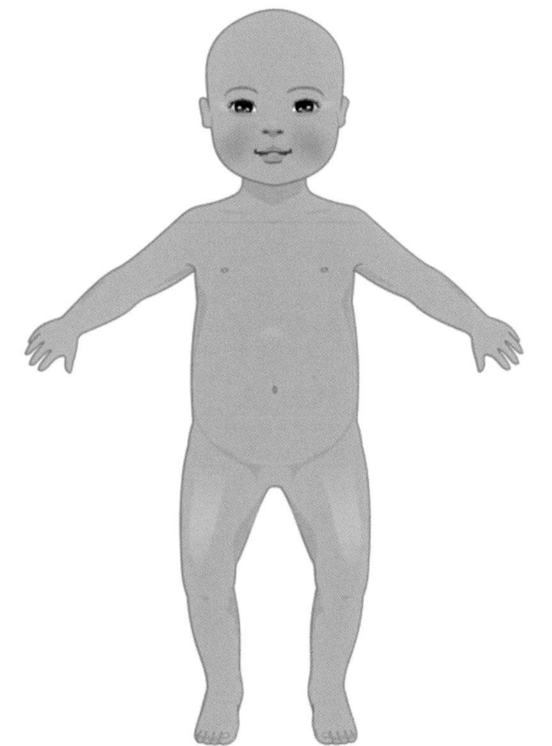

C-DESIGN® Copyright – Created with C-DESIGN Fashion®

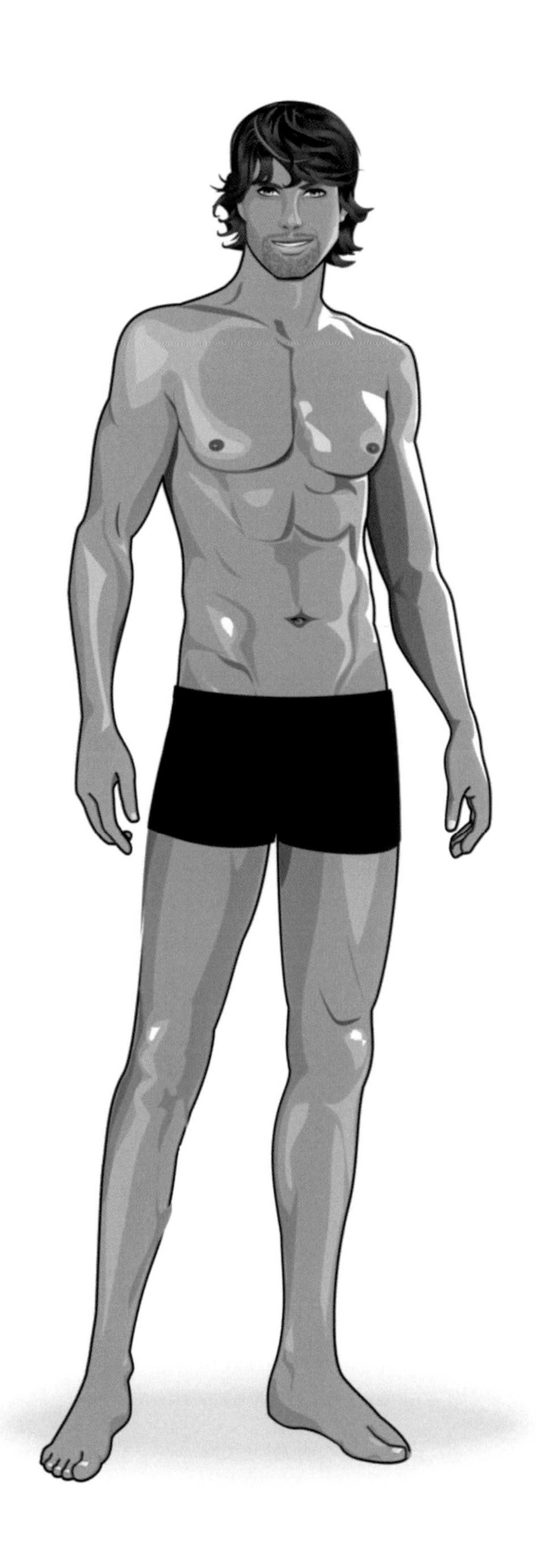

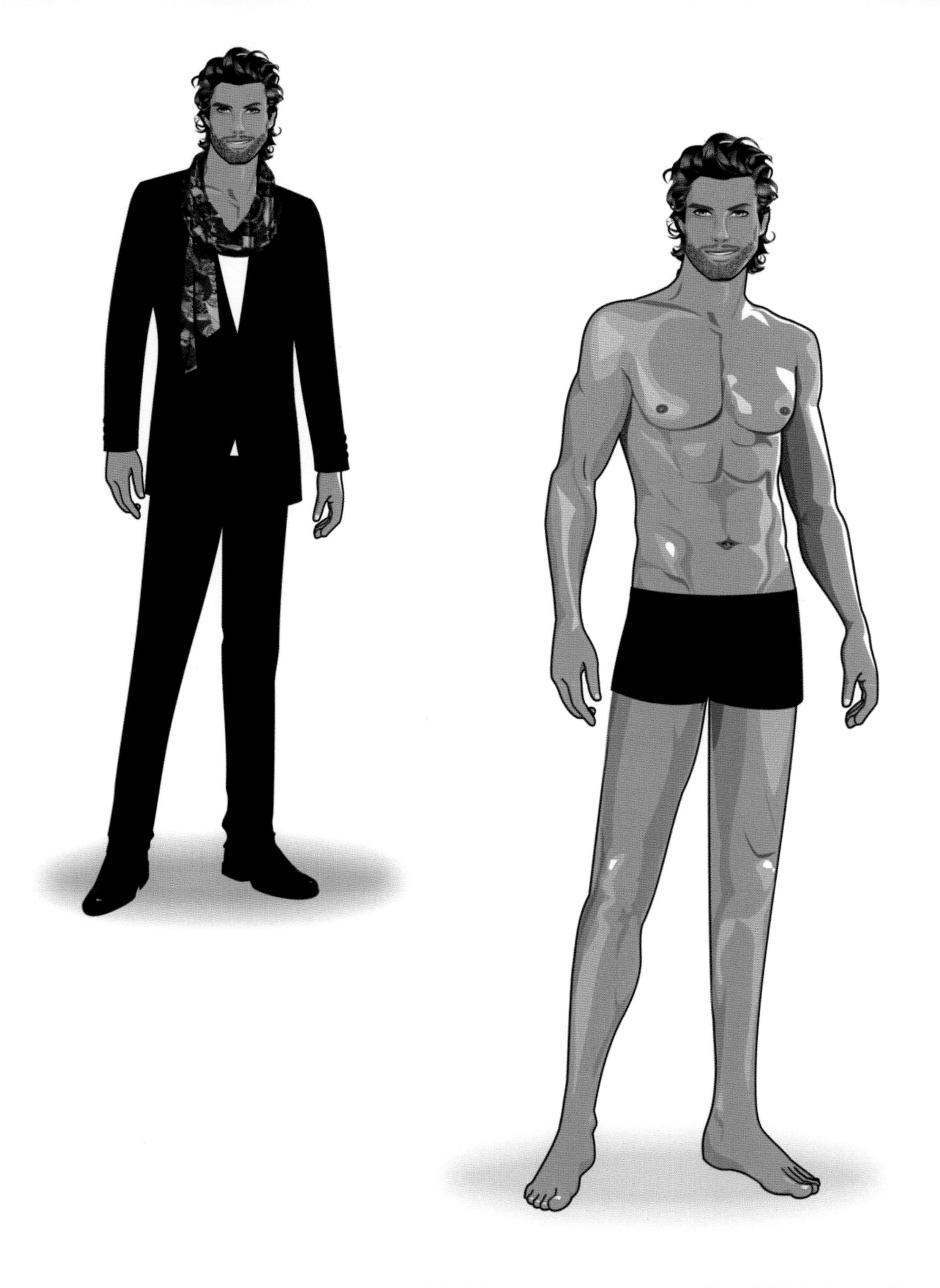

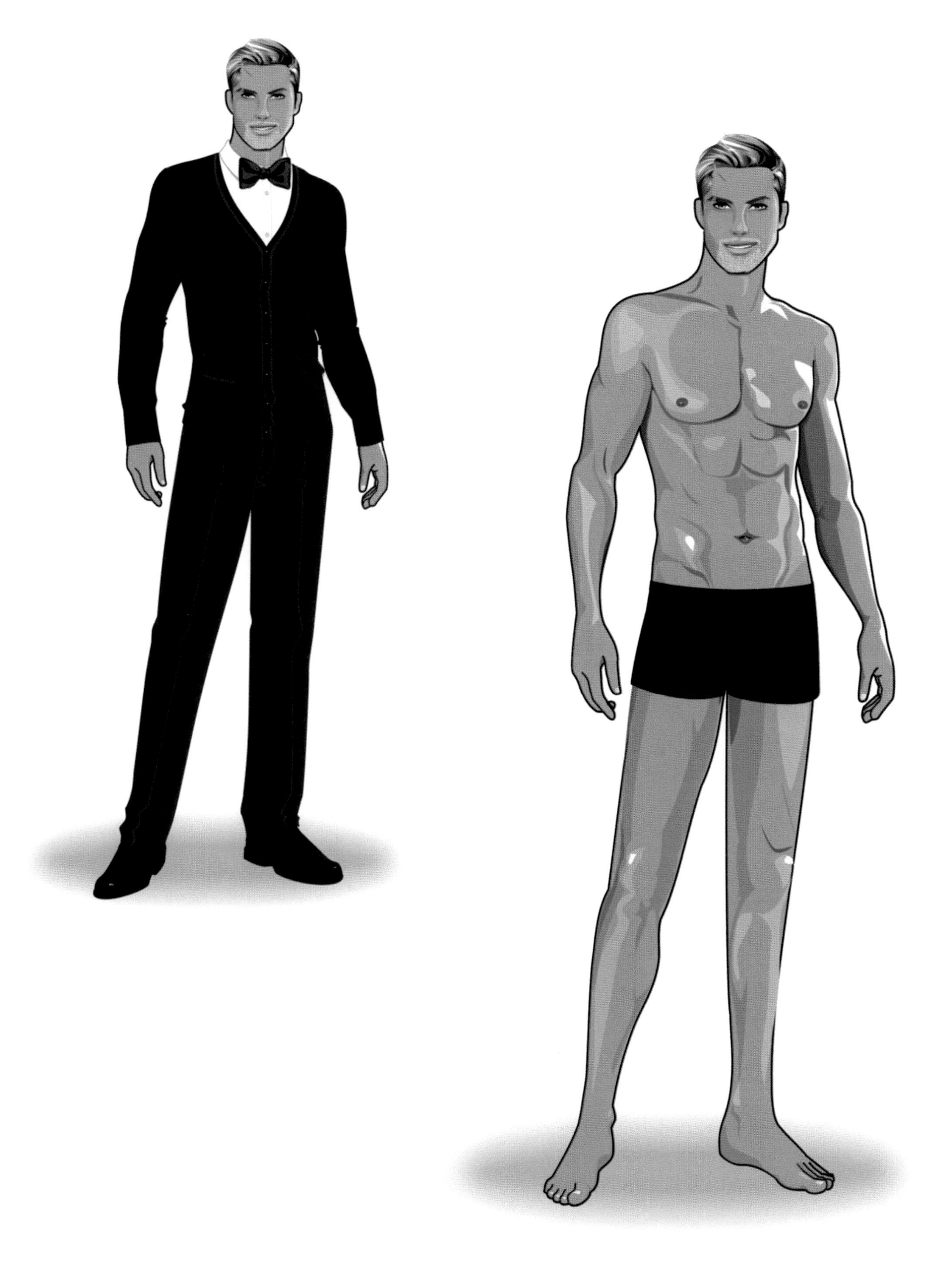

EL FIGURÍN TÉCNICO

El ritmo, la competitividad y la fabricación descentralizada que reina en el sector moda han dado lugar a la aparición de un nuevo tipo de figurín de moda, el denominado figurín técnico, una especie de híbrido entre el figurín estilizado y el dibujo en plano de las fichas técnicas. Este nuevo figurín técnico no es tan visual ni tiene tanto *glamour* como el figurín estilizado, pero sin duda es mucho más práctico y sirve de guía precisa y a prueba de malentendidos, para todos los profesionales que forman parte del proceso de creación de la prenda (proveedores, patronistas, confeccionistas, planchadores, etcétera).

En un figurín estilizado no se aprecian tan bien los detalles de confección como en un figurín técnico, donde las prendas se dibujan de forma bidimensional o plana sobre figuras base de proporciones realistas y posturas estáticas.

La pose común en los figurines técnicos es la de brazos separados del cuerpo y piernas abiertas, de este modo facilitan la interpretación precisa de las prendas.

Dada su fácil interpretación, incluso por equipos de producción que no hablan el mismo idioma, cada día es más frecuente, sobre todo en las grandes empresas del sector moda, utilizar únicamente los figurines técnicos, creados en formato vectorial.

Y es que ahora más que nunca, el diseñador de moda debe ser consciente de que en un diseño de moda lo importante es recrearse en mostrar con claridad el diseño y los detalles de la prenda, para que no haya ningún tipo de malentendido en la interpretación de los mismos por parte del equipo humano que hará realidad dichas prendas de vestir.

Si tiene tiempo suficiente para entregar el figurín estilizado junto a su ficha técnica completa con el dibujo de las prendas en plano, entonces adelante. Si la falta de tiempo no le permite tanto lujo de detalles, entonces opte por diseñar directamente utilizando los figurines técnicos, son mucho menos atractivos visualmente pero cumplen a la perfección su cometido técnico.

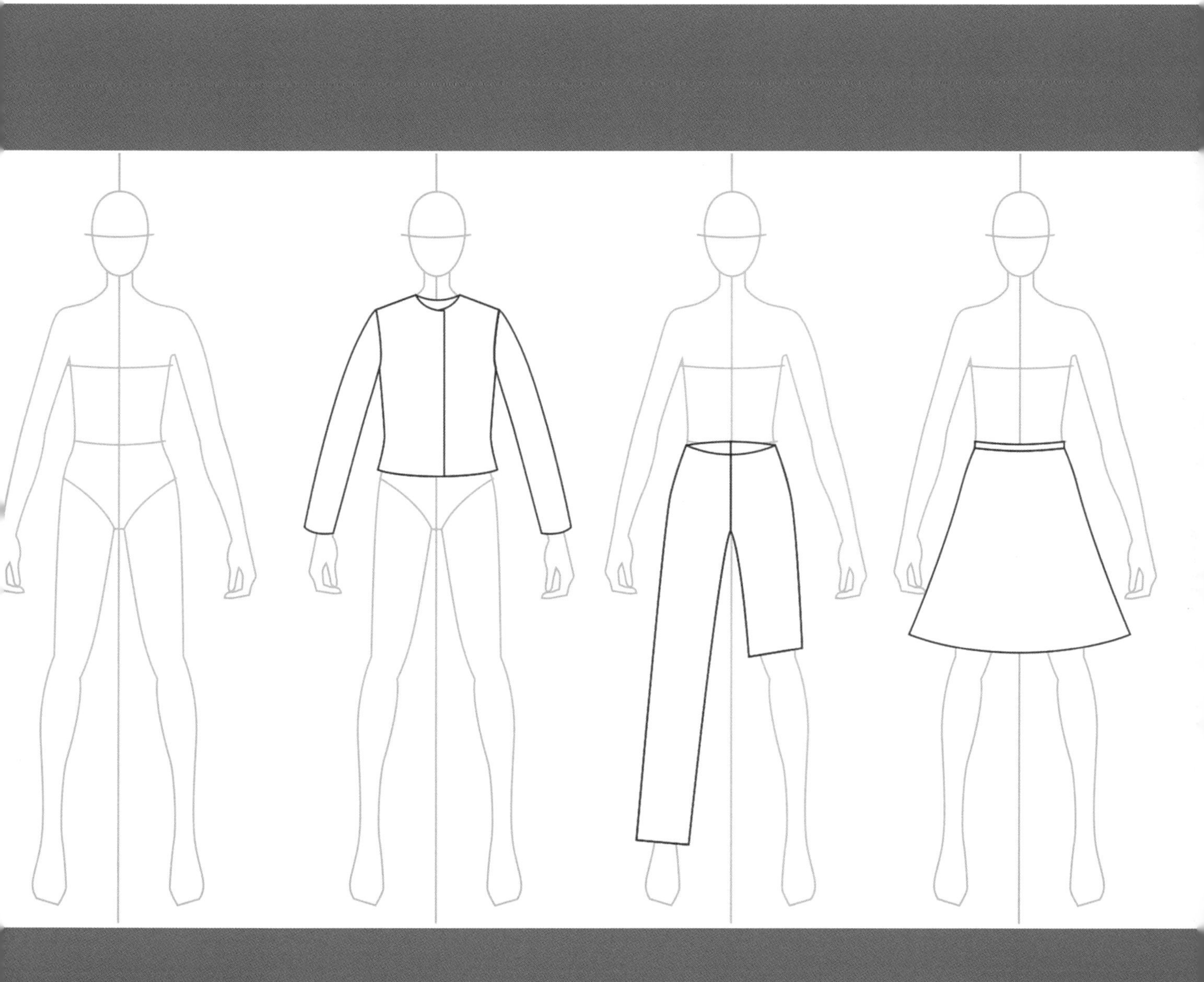

Figura 7.28. La pose de los figurines técnicos debe facilitar la interpretación de las prendas dibujadas en plano (*planar drawings*).

LAS EDADES DEL FIGURÍN TÉCNICO

En el diseño con figurines técnicos, el diseño de las prendas se realiza sobre la figura de un cuerpo humano de proporciones realistas, por lo que resulta necesario disponer de diferentes figurines acorde con la edad del público objetivo que finalmente vestirá las prendas a diseñar. A continuación haremos un recorrido por las distintas edades del figurín de moda.

Figura 7.29. Figurines técnicos de bebé incluidos en el programa especializado *Audaces* (***www.audaces.com***).

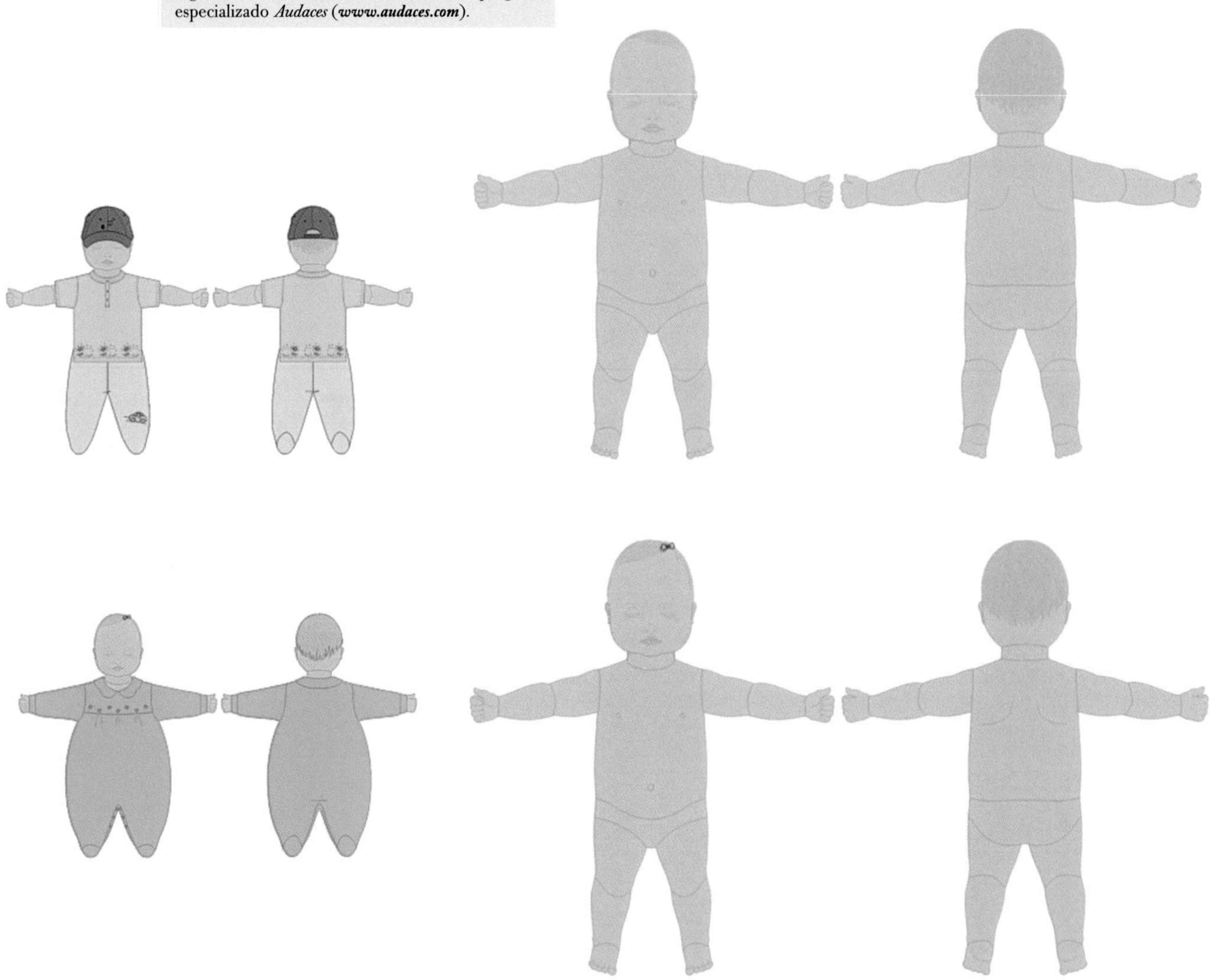

EL FIGURÍN DE BEBÉ Y NIÑO PEQUEÑO

Comenzamos este recorrido por las distintas etapas del figurín técnico, con el figurín utilizado para el diseño de ropa de bebé. En este caso la figura del niño/a suele representarse con los ojos cerrados como si estuviera durmiendo y con los brazos completamente abiertos para facilitar la representación de las prendas clásicas de bebé como faldones o buzos.

Para el dibujo de figurines de niño pequeño (de 1 á 3 años) se utiliza una proporción aproximada de 4 cabezas y media para dibujar el cuerpo erguido. Los brazos ya se sitúan en posición caída, un poco separados del torso para dejar espacio para representar los detalles de las mangas. Los ojos aparecen abiertos y en un tamaño más grande del habitual.

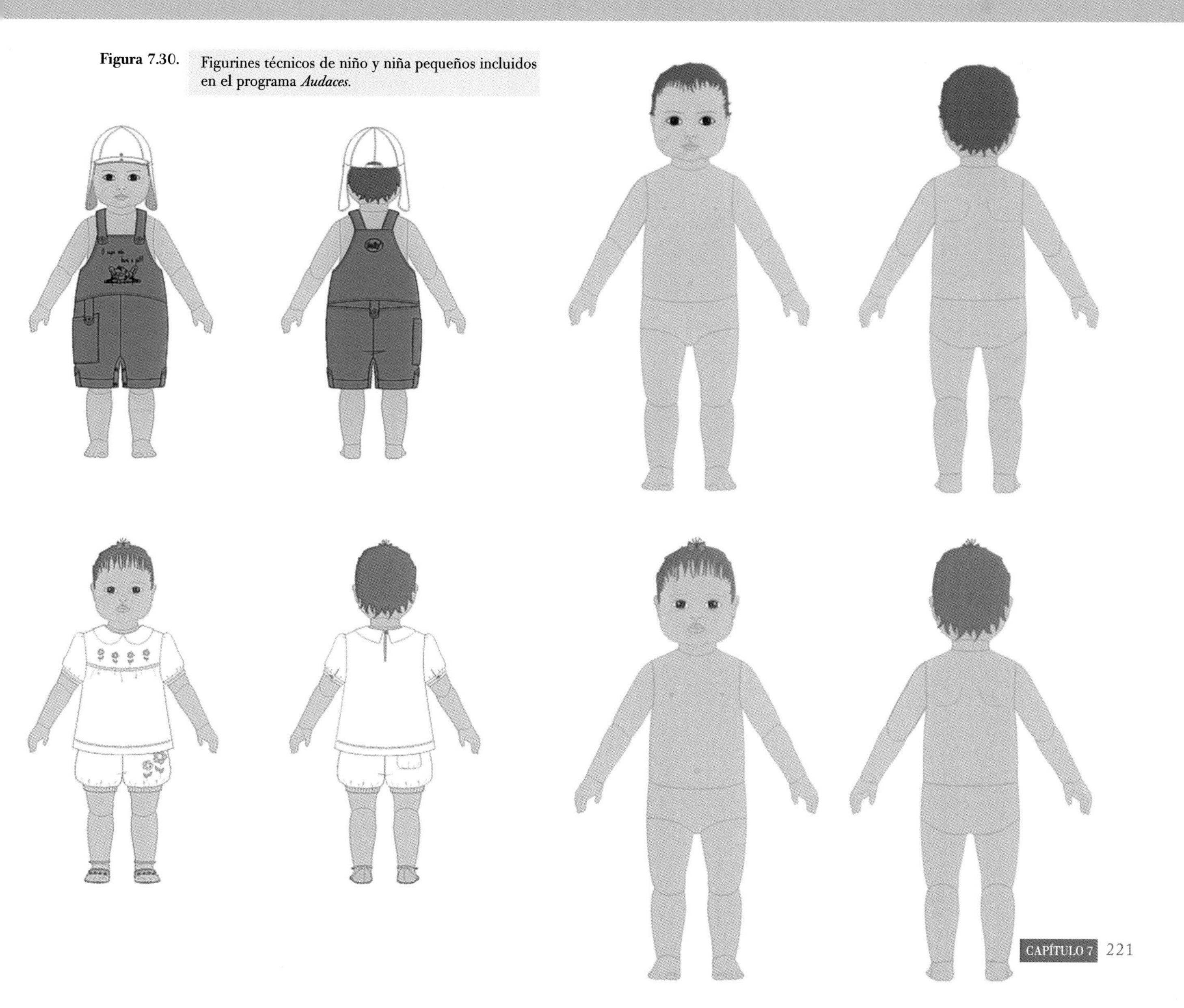

Figura 7.30. Figurines técnicos de niño y niña pequeños incluidos en el programa *Audaces*.

EL FIGURÍN INFANTIL

Muchos estudiantes de diseño a veces no se percatan de lo importante que es el sector de la moda infantil, un sector cada día más consolidado y rentable. Es frecuente encontrar ofertas de trabajo solicitando diseñadores de moda especializados en moda infantil, por lo tanto no desaproveche esta oportunidad de empezar a practicar la creación de diseños de moda infantil.

En el figurín técnico infantil, el cuerpo de niño se representa con una proporción de 6-7 cabezas.

Quizás, la zona a la que le hay que prestar más atención en el dibujo de figurines de niño es la de la cintura, a esas edades la curvatura de la cintura aún no está definida y se traza de forma recta.

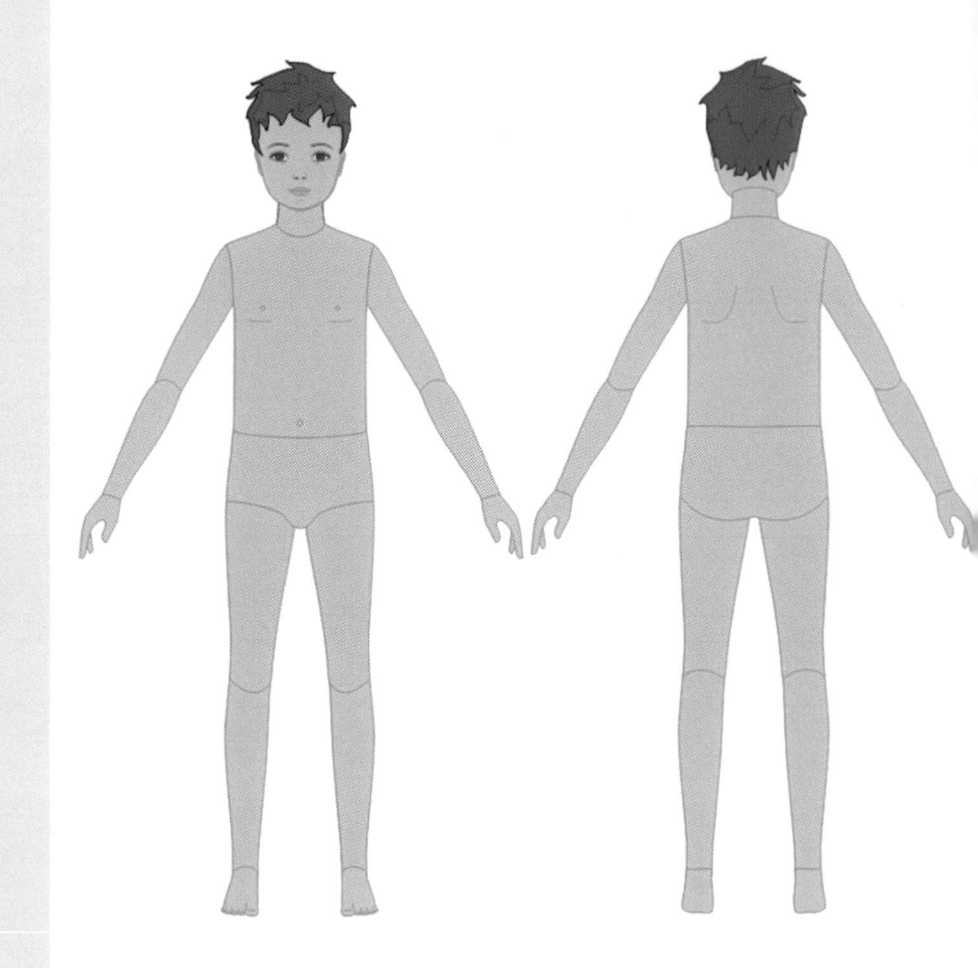

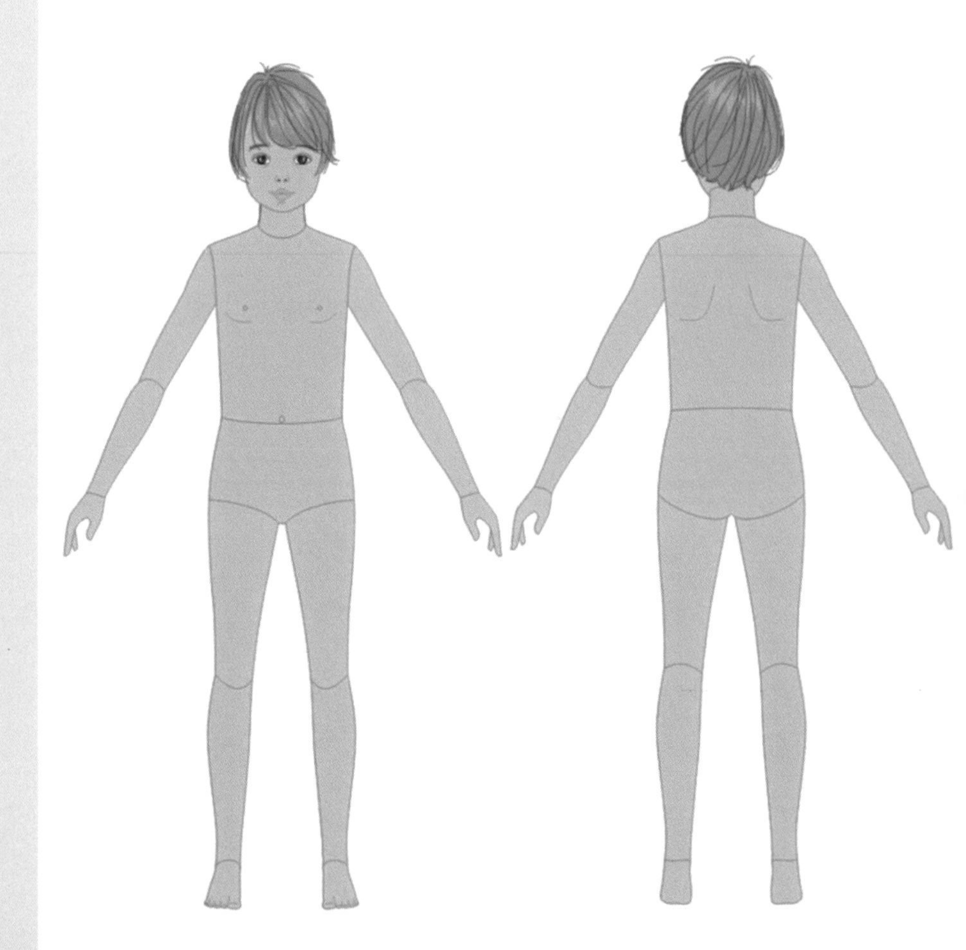

EL FIGURÍN DE HOMBRE Y MUJER ADULTOS

Llegados ya a la edad adulta, el cuerpo tanto del hombre como de la mujer en un figurín técnico se representa con una proporción de unas 8 cabezas. En el caso del hombre el torso y el cuello será más ancho y se marcarán más los pectorales. La cintura del figurín de mujer ya se puede dibujar con una curvatura totalmente marcada, al igual que el cuello que será más estrecho y estará mejor definido. Lo mismo ocurrirá con el óvalo facial.

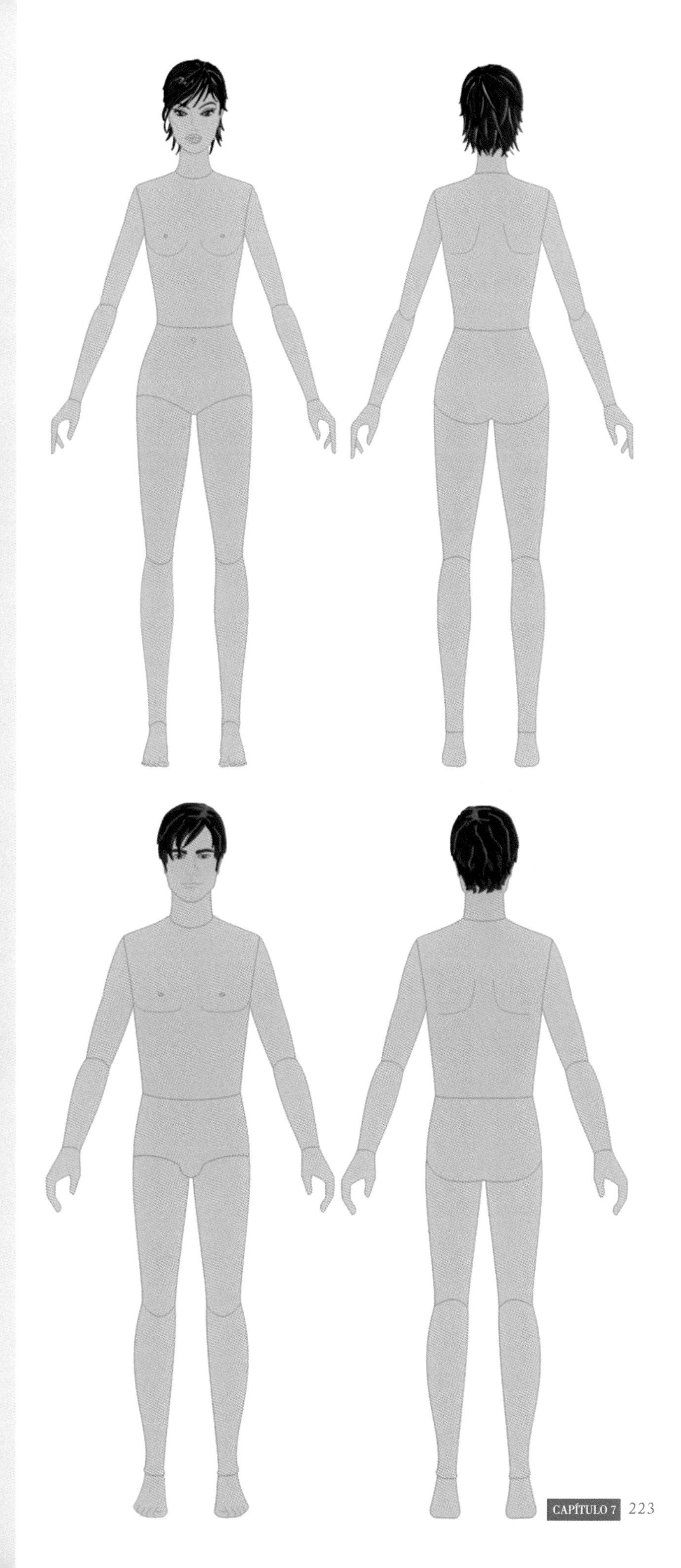

CAPÍTULO 8

GALERÍA

A través de las páginas de este libro queremos mostrar al mundo el talento de diseñadores de moda, ilustradores y figurinistas de habla hispana. Es por ello que, con el objetivo de localizar a los mejores diseñadores, figurinistas e ilustradores de moda, se convocó durante los meses de Junio y Julio de 2013, el CIIMF –*Concurso Internacional de Ilustración de Moda y Figurines*– accesible a través de la dirección Web ***http://concurso.figurinesdemoda.com***.

EL CONCURSO INTERNACIONAL DE ILUSTRACIÓN DE MODA Y FIGURINES

La convocatoria del concurso tuvo una importante cobertura mediática, siendo un éxito total de participación, superando los 3000 diseños/figurines presentados a concurso.

Los participantes podían enviar sus diseños en las siguientes tres categorías principales:

Categoría 1 figurín estilizado e ilustración creativa de moda

En esta categoría se podían presentar figurines o ilustraciones de moda estilizados, de proporciones y técnica libre utilizados para representar gráficamente un estilo o estética concreta, sin necesidad de reflejar los detalles de las prendas de vestir que estaba mostrando. Una categoría creada sobre todo para ilustradores de moda.

Categoría 2 figurín para el diseño de moda

Figurines estilizados o técnicos para el diseño de moda, mostrando los detalles de las prendas de vestir representadas. En esta categoría también se podían presentar figurines de moda de alta costura, vestidos de novia y diseño de vestuario (cine y teatro). Se valoraba especialmente que los diseños presentaran vista de frente y de espaldas para una mejor interpretación de las prendas.

Categoría 3 colección de figurines o serie de ilustraciones

En esta categoría se podían presentar láminas con series de más de 3 figurines mostrando una misma colección de moda o ilustrando una misma tendencia. Se valoraba positivamente la reutilización del mismo estilo/tipo de figurín (cambiando poses o peinados).

Cada participante podía presentar a concurso un máximo de 5 diseños, de ahí que en la siguiente galería encontrará en algunos casos varios trabajos de un mismo diseñador.

Los diseños seleccionados debían reflejar las diversas técnicas empleadas actualmente por diseñadores de moda, ilustradores y figurinistas de habla hispana; por lo que además de mostrar la creatividad y el nivel técnico-estético de los diseñadores seleccionados, también refleja una gran variedad de estilos y técnicas que sin duda resulta inspiradora.

A través de estas líneas damos la enhorabuena a los ganadores y a los finalistas del Concurso y agradecemos su participación a los cientos de diseñadores y figurinistas de todo el mundo que participaron con toda su ilusión.

Figura 8.1. El sitio Web del *Concurso Internacional de Ilustración de Moda y Figurines.*

GANADORES DEL CONCURSO INTERNACIONAL DE ILUSTRACIÓN DE MODA Y FIGURINES

El jurado seleccionó los trabajos de 33 diseñadores, nombró a 3 diseñadores ganadores y 30 finalistas. El resultado del concurso lo tiene en sus manos y en las próximas páginas encontrará, primero los diseños de los 3 ganadores y a continuación los trabajos de los 30 finalistas organizados por orden alfabético.

Como podrá apreciar, la selección final de diseños, muestra estilos y técnicas muy diversas. Algunos de los diseños/figurines fueron creados en programas de diseño asistido por ordenador y otros en cambio se realizaron con técnicas de dibujo tradicionales, siendo estas páginas un fiel reflejo del panorama actual del dibujo de figurines.

Confiamos en que estas muestras de talento creativo le sirvan de inspiración para crear sus futuros figurines de moda.

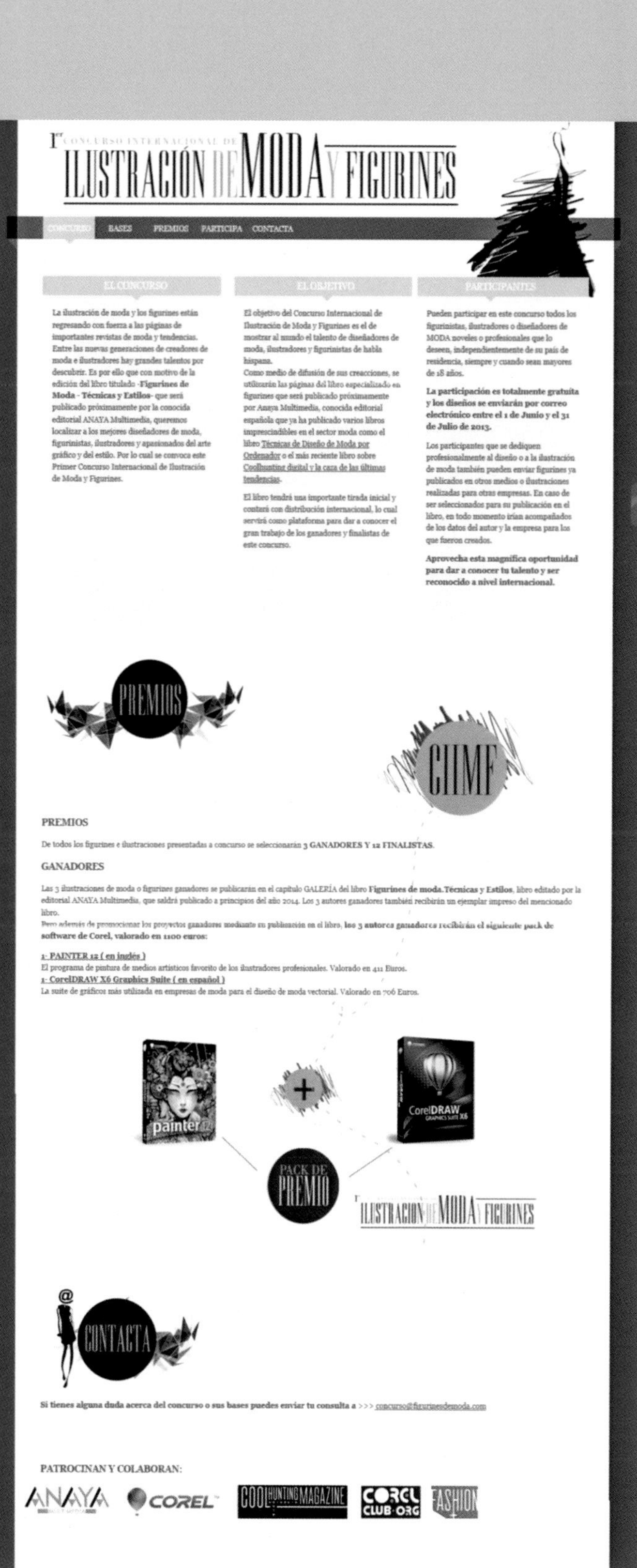

ANTONIO ENRÍQUEZ (ESPAÑA)

Comenzamos esta sección de galería con los trabajos de uno de los tres ganadores del concurso, Antonio Enríquez, diseñador de moda e ilustrador de Córdoba, España (*http://tonienriquez.blogspot.com.es*), quien presentó a concurso cinco figurines para el diseño de moda , de los cuales hemos seleccionado cuatro para mostrar en estas páginas.

La gran creatividad de todos sus figurines junto con la singularidad de posturas utilizadas, la originalidad de las prendas diseñadas, su alto dominio de las técnicas de dibujo tradicionales y su meticulosa atención a los detalles le hicieron merecedor de uno de los premios del concurso.

A continuación el propio autor describe la técnica utilizada para la creación de sus figurines:

"Realizo mis ilustraciones de manera artesanal, minuciosamente a mano sobre una base de cartulina específica para acuarela. Utilizo principalmente rotuladores acuarelables. Para crear los matices recurro a lápices acuarelables, rotuladores de punta muy fina para marcar los detalles y un corrector líquido blanco (Tipp-Ex) para iluminar zonas. En ocasiones, para dar algún toque final utilizo Adobe Photoshop, como por ejemplo para conseguir el efecto de luz en las bombillas del tocado del figurín titulado Luz (Figura 8.2) que representa el surgimiento de una idea."

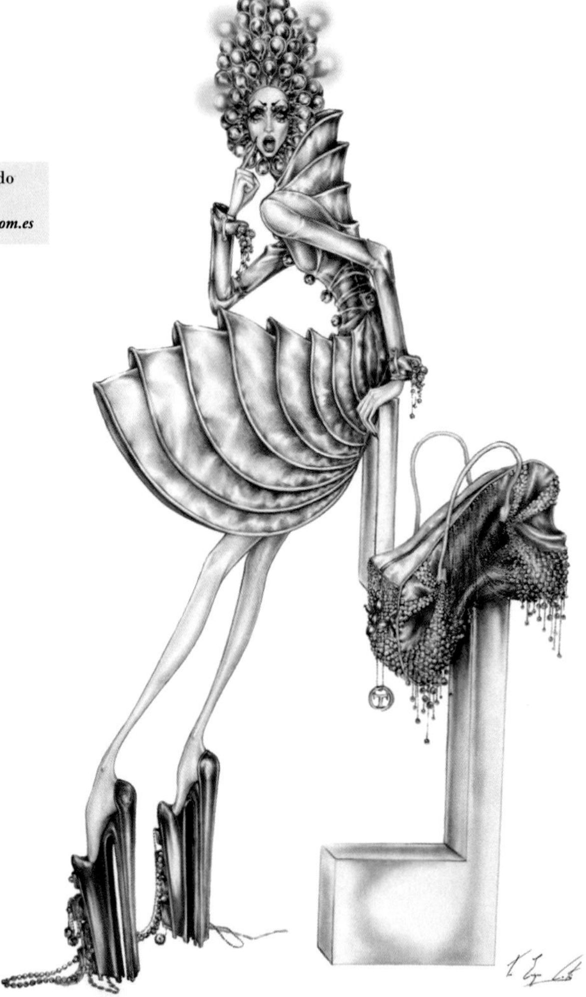

Figura 8.2. Figurín titulado *Luz* creado por **Antonio Enríquez** ***http://tonienriquez.blogspot.com.es***

Figura 8.3. Figurín titulado *Coral* creado por **Antonio Enríquez**.

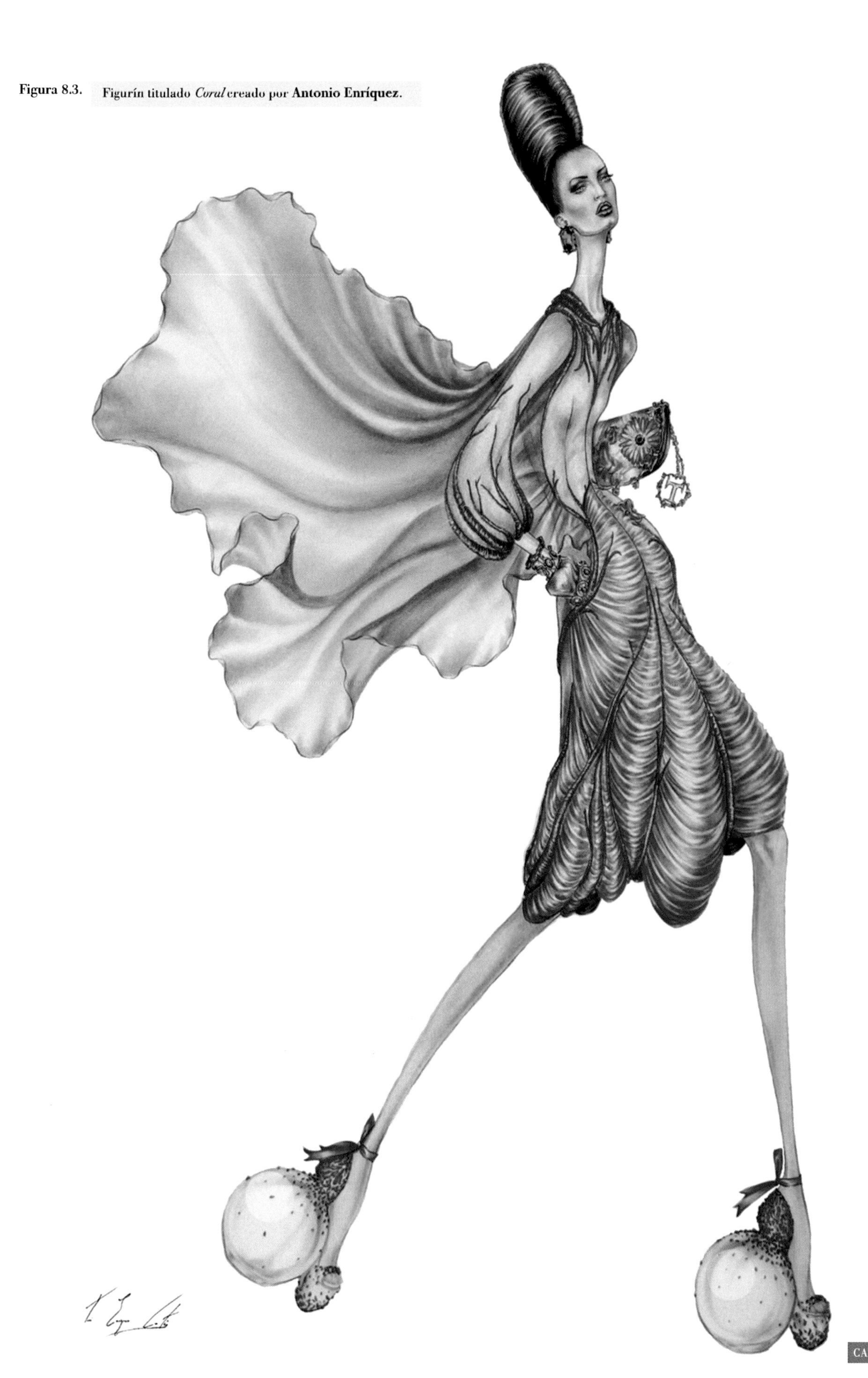

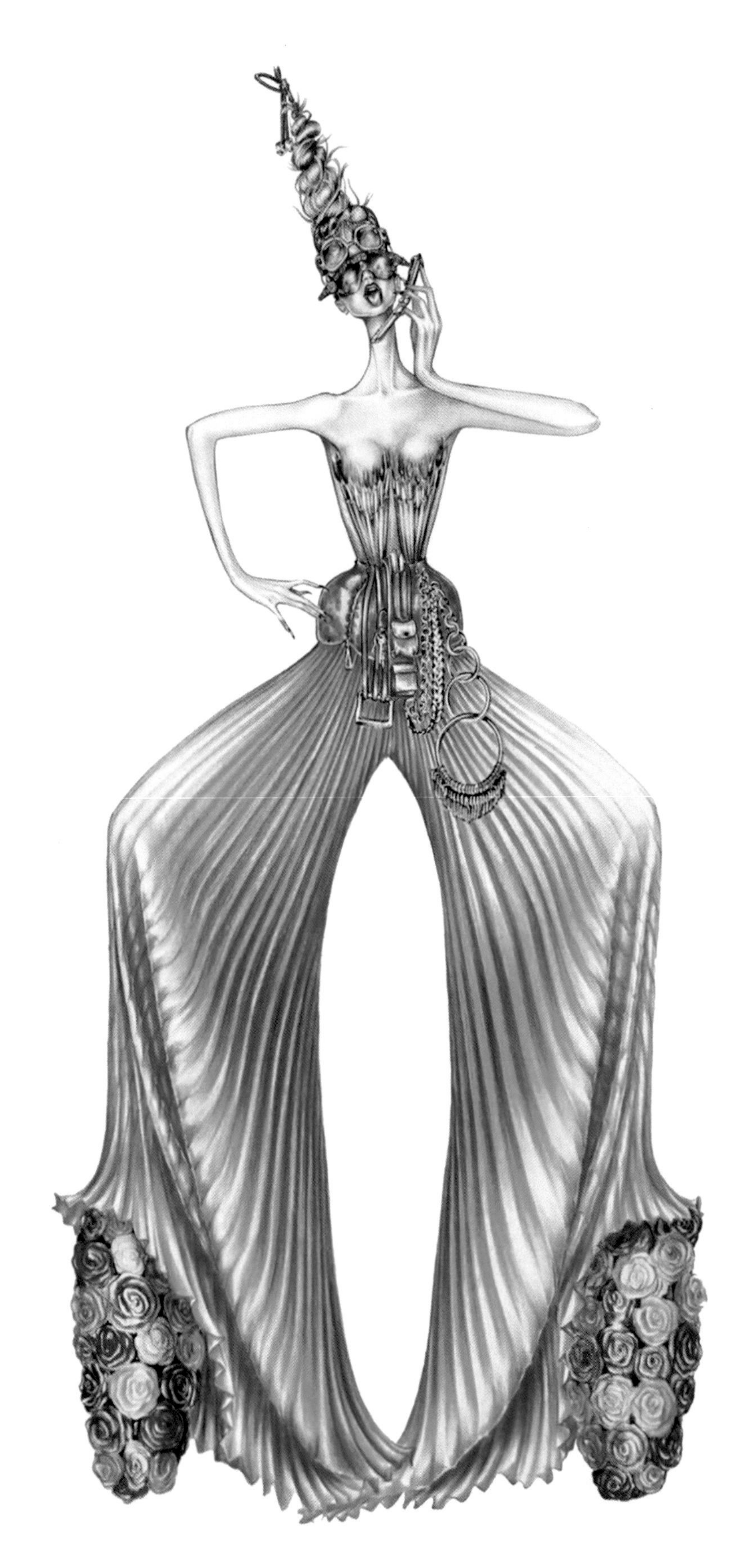

Figura 8.4. Figurín titulado *Carnaval* creado por **Antonio Enríquez.**

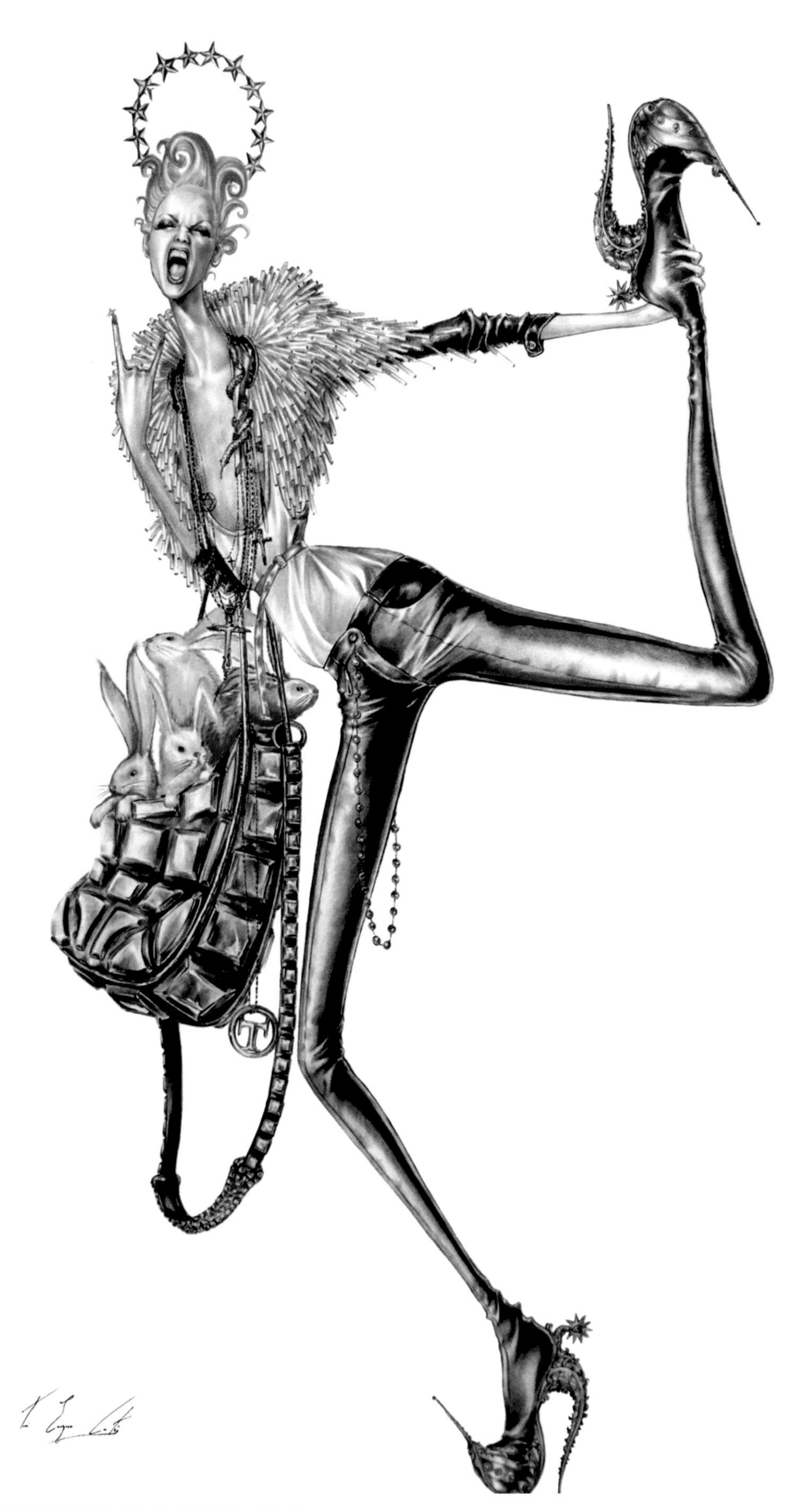

Figura 8.5. Figurín titulado *Pink* creado por **Antonio Enríquez.**

Figura 8.6. Figurín titulado *Afrikna* creado íntegramente a lápiz de **Eduardo Rodríguez** ***(http://ejrm101066.wix.com/eduardo-melia1)***

EDUARDO RODRÍGUEZ MELIÁ (CUBA)

Otro de los ganadores del concurso fue el diseñador de moda e ilustrador de nacionalidad cubana, **Eduardo Rodríguez Meliá** (*http://ejrm101066.wix.com/eduardo-melia1*) que actualmente reside en Ecuador y presentó a concurso varios figurines en las categorías 1 y 3.

En esta galería se seleccionaron 3 de sus trabajos, dos de los cuales realizados con herramientas digitales y uno de ellos, dibujado íntegramente con una herramienta tan tradicional y versátil como el lápiz (**Figura 8.6.**). A continuación el propio autor describe su figurín *Afrikna*:

"Ilustración de mujer, realizada íntegramente a lápiz. Como su nombre lo indica está inspirada en diferentes etnias de África como los *Samburu*, los *Zulu* o los *Ndebele*, utilizando sus accesorios habituales y reubicándolos en diferentes partes del cuerpo para darle una connotación mas ecléctica y *fashionista*. Se completa con una falda que reproduce texturas occidentales y pieles de animales autóctonos de la región. Se utilizaron diferentes tipos de grafitos HB y B de diferentes numeraciones desde el 2B al 6B."

Los trabajos de Eduardo Rodríguez muestran además de creatividad, un altísimo dominio técnico tanto de las herramientas tradicionales como digitales. Llama la atención el cuidado de cada detalle en sus figurines creados con el programa de diseño vectorial CorelDRAW. Con volúmenes y sombreados impecables hasta en el maquillaje, peinados de gran complejidad técnica y minuciosos acabados en las texturas de tejidos y complementos. Además de la dificultad técnica que supone la creación de cada figurín en formato vectorial con ese nivel de detalle, añade fondos y decorados a sus figurines para recrear la atmósfera más adecuada.

En el proceso de creación de figurines en programas de diseño por ordenador intervienen numerosas herramientas, que a simple vista no se aprecian en el resultado final y es interesante conocer, es por ello que a continuación Eduardo Rodríguez enumera las herramientas digitales que utilizó para la creación de la pareja de figurines de la Figura 8.8. *con el programa CorelDRAW:*

Herramienta Bèzier (para el dibujo y redibujo de siluetas, partes del cuerpo, ropa y accesorios).

Medios artísticos (dibujo de cabellos, toda la ciudad de fondo).

Vectorización de imágenes PowerTrace (texturas de chaqueta de mujer y superficie del auto).

Relleno de degradado (superficies metálicas y color de fondo).

Relleno de Malla (piel, vestimenta de ambos personajes, accesorios, asientos, marco de parabrisas y color base del auto).

Importar (imágenes bitmap: gomas del auto, chaqueta de hombre, guantes y cartera de mujer).

PowerClip (para importar imágenes anteriores y fondo de ciudad).

Transparencia (todo el fondo, sombras proyectadas en ropa, parabrisas coche, bufanda y gafas de mujer).

Herramienta Sombra (proyectada por los personajes y coche).

Figura 8.7. **Colección de figurines titulada *The Abbey Road Glam* creada en CorelDRAW por Eduardo Rodríguez Meliá.**

Figura 8.8. Figurines titulados *Pareja cosmopolita* creados en CorelDRAW por uno de los ganadores del concurso, el cubano **Eduardo Rodríguez Meliá.**

JAVIER GARRIDO (ESPAÑA)

El jurado del Concurso, también seleccionó como ganador al diseñador de moda español Javier Garrido López (*http://aboutgarrido.tumblr.com*) quien presentó una propuesta de colección de moda titulada *MBANGA* (Figuras 8.9. y 8.10), como candidata en la categoría 3 "*Colección de figurines o serie de ilustraciones*" del concurso.

La esmerada y personal estilización de los figurines, la congruencia entre todas las prendas de la colección, el dinamismo de las poses utilizadas para equilibrar la composición, la forma de emplear el color, aunado a la gran técnica de dibujo utilizada, lo hicieron merecedor de uno de los premios del concurso.

A continuación el propio autor describe la colección de figurines ganadora:

MBANGA es una propuesta para la temporada p/v basada en el *smoking* y la cultura *masái*.

La ilustración de la propuesta agrupa los 15 figurines, en 3 secciones (*sport*, cóctel y *suit*), que se combinan de una manera dinámica en una composición final que recoge toda la colección.

El trabajo ilustrativo se ha resuelto con una única técnica, acuarelas. Este método proporciona la máxima fidelidad de representación de los tejidos: satén, gasas y crepé.

El bocetaje comienza directamente en un soporte Ingres Din A3 de 370g/m2. Seguidamente se texturiza, aplicando las acuarelas, para crear los tejidos lisos y las bases de los estampados.

El *print tartan* y a rayas se realiza mediante rotuladores acuarelables, que se aplican una vez seca la base de acuarela, para evitar la disolución de la línea. Para delimitar los contornos y crear líneas de fuerza, se emplea rotulador negro con cabezal, en pincel para las prendas, mientras que para las extremidades del figurín, basta con un rotulador de tipo *rotring* de grosor bajo. Por último se colorea la piel de figurín con un rotulador (Copic) de cabezal ancho y los detalles, como es el caso de los accesorios, con bolígrafo dorado.

De este modo se desarrolla cada grupo de figurines, que finalmente se unirán con Photoshop en una única creación.

Figura 8.9. y Figura 8.10. Colección de figurines ganadora del concurso, titulada *MBANGA* y creada por el diseñador **Javier Garrido *(http://aboutgarrido.tumblr.com)***

MBANGA
PRET-A-PORTR

FINALISTAS DEL CONCURSO INTERNACIONAL DE ILUSTRACIÓN DE MODA Y FIGURINES

A continuación se incluyen los trabajos de los 30 finalistas del Concurso organizados por orden alfabético. Como podrá observar una gran mayoría de participantes optó por presentar a concurso colecciones de figurines. Tanto en los figurines individuales como en las colecciones que se muestran a continuación se pueden apreciar las distintas técnicas de dibujo empleadas hoy en día en la creación de figurines e ilustraciones moda. Disfrute además de los distintos estilos de figurines y analice las herramientas utilizadas para crearlos.

Confiamos en que esta variada selección de figurines, toda una muestra de talento creativo hispano, le animen e inspiren para crear sus propios figurines de moda, quizás esté a tiempo de participar en la próxima edición del concurso.

ALESSANDRA DASSO (CHILE)

La diseñadora de moda **Alessandra Dasso** del taller/academia de diseño *Moda Studio* (***www.modastudio.cl***) presentó a concurso la colección de figurines titulada *Primavera Decolorada*. A continuación la autora describe las herramientas utilizadas para su dibujo: "El figurín fue dibujado a mano, las caras fueron trazadas y luego escaneadas para lograr una repetición de los rostros, a partir de ahí dibujé el cuerpo a mano sobre papel vegetal. Para colorear utilicé como base marcadores marca *Letraset* y para los detalles lápices de colores y lápices de tinta dorada, plateada y blanca. También empleé lijas, rejillas de altavoces y otras superficies para hacer texturas con los lápices de colores en algunos figurines, como el caso del abrigo, sweater celeste, falda plateada y pantalones. Una vez terminado el dibujo, con el programa Adobe Photoshop mejoré el contraste de los figurines escaneados, con la herramienta de niveles de blanco y negro.

Figura 8.11. Colección de figurines creada por **Alessandra Dasso** (***www.modastudio.cl***)

ÁLVARO RUIZ (COLOMBIA)

El diseñador y creativo de vestuario Álvaro Ruiz (***alvaroruiz1964@hotmail.com***) del taller de diseño *D'RUIZ* presentó a concurso la colección de 8 figurines titulada: *Un paseo por la moda .La ilustración de moda: una desproporción proporcionada de la figura humana.*

Una colección de figurines estilizados que representan, la evolución de la moda en distintas décadas; desde 1900 hasta 1970. Todas las ilustraciones fueron realizadas en técnica mixta (marcador– color) sobre opalina. Un trabajo que el autor realizó para la empresa *Armaria.*

Figura 8.12. **Colección de figurines representando la evolución de la moda por décadas, desde 1900 a 1970. Creada por *Álvaro Ruiz* (Colombia).**

ANA HERRERA (ESPAÑA)

La diseñadora **Ana Herrera** (***anaherrerarodriguez@hotmail.es***) presentó a concurso la colección de figurines inspirada en las ruinas de Petra. La autora describe las herramientas utilizadas para crear dicha colección: los figurines están creados mediante ilustración tradicional. Para ello se ha utilizado acuarelas, lápices acuarelables, rotuladores *Posca* y bolígrafo negro, sobre una base de papel acuarela. El figurín que utilicé para representar la colección es esbelto y estilizado, de largas piernas y torso pequeño.

Figura 8.13. Colección de figurines de **Ana Herrera**.

ANA JARÉN (ESPAÑA)

La diseñadora **Ana Jarén** (***http://labaribaruska.blogspot.com.es***) presentó a la categoría 1 del Concurso una ilustración basada en la temática floral realizada de manera tradicional, a mano, con lápices de colores, *rotrings* y rotuladores. La autora también utilizó Adobe Photoshop para retocar niveles de color y para la colocación de elementos de fondo.

Figura 8.14. Ilustración de moda de **Ana Jarén**.

ANGÉLICA GARCÍA (PERÚ)

La diseñadora de moda **Angélica García** (***http://www.facebook.com/AGAngelicaGarcia***) presentó a concurso varias ilustraciones y colecciones de figurines, se seleccionó para mostrar en estas páginas la extensa colección de figurines titulada *Andrómeda* que muestra una colección diseñada por **Karina Giannoni Lindley** inspirada en las galaxias. La autora describe a continuación el proceso de creación de estos figurines digitales:

"El delineado del figurín, el dibujo y pintado base de las prendas tipo *flat* están hechos en Adobe Ilustrator. El pintado del cuerpo, dibujo de la cara, brillo y sombra de las prendas están realizados en Adobe Photoshop. Las prendas han sido colocadas de Illustrator a Photoshop usando la herramienta Deformar para poder acoplarlas al cuerpo, dividiendo las prendas en partes para poder amoldarlas al cuerpo. Los calados y aplicaciones de tachas fueron dibujados en Illustrator."

Figura 8.15. Colección de figurines digitales creados por **Angélica García.**

AUGUSTO GRACIANO (ARGENTINA)

El diseñador de moda **Augusto Graciano** (*http://gracianofashionillustration.blogspot.com.ar*) presentó a concurso varios diseños a la categoría nº 2 creados mediante técnicas tradicionales. A continuación el autor describe el figurín titulado *Azul*: elegí realizar un figurín estilizado de alta costura. En el vestido puede observarse de dos vistas, de frente y de espaldas. Es una ilustración tradicional y los materiales utilizados fueron hoja blanca A4, acuarela, lápiz color, lápiz grafito, microfibra negra, lapicera azul y blanca.

Figura 8.16. Figurín para el diseño de moda de **Augusto Graciano**.

CARMEN ZAMORA (ESPAÑA)

La diseñadora **Carmen Zamora** (***http://carmenloveschanel.tumblr.com***) presentó varios figurines a concurso entre los cuales se seleccionó el presentado en la categoría 2 de figurín para el diseño de moda donde se muestran diseños de vestidos de noche/alta costura. La diseñadora describe el proceso de creación del mismo: "boceto realizado a mano con lápiz de grafito, coloreado con lápices y ceras acuarelables y finalmente contorneado a bolígrafo *Pilot* de tinta negra."

Figura 8.17. Vestidos de alta costura de la diseñadora **Carmen Zamora**.

CHRISTIAN RIOS (COLOMBIA)

El diseñador **Christian Rios** (*cririo@hotmail.com*) presentó a concurso varios figurines estilizados. El autor describe a continuación la colección de figurines *Caleidoscopio*: colección inspirada en la riqueza de la naturaleza, sus colores y texturas, con siluetas que celebran la sensualidad de la mujer con una paleta cromática vibrante donde la intervención en los materiales cobran gran importancia.

Los materiales utilizados para el dibujo de la colección fueron lápices de colores y micropunta sobre papel *Durex*.

Figura 8.18. Colección de figurines estilizados creados por **Christian Rios**.

CLARA GOSÁLVEZ (ESPAÑA)

La diseñadora e ilustradora **Clara Gosálvez** (***http://clarags.wordpress.com***) presentó a concurso la colección de cuatro figurines titulada *Ghirlandaio*, la cual describe a continuación:

"Mi intención en este proyecto ha sido desarrollar diseños que mezclen dos fuentes estéticas aparentemente alejadas: por una parte, las formas etéreas y femeninas y los tejidos vaporosos del *Quattrocento* italiano; por otra, las líneas racionales y los materiales del genial arquitecto estadounidense **Frank Lloyd Wright**: el *tweed* representa el hormigón y la piedra, y el cuero las vigas y remates de madera.

La base de las ilustraciones ha sido realizada con grafito y lápices de colores. Sobre ella, he utilizado pasteles y bolígrafo de gel, para perfeccionar los acabados (brillos, materiales metálicos, etc) y Adobe Photoshop, para la creación de estampados y texturas en los tejidos.

Figura 8.19. Colección de figurines *Ghirlandaio* creados por **Clara Gosálvez**.

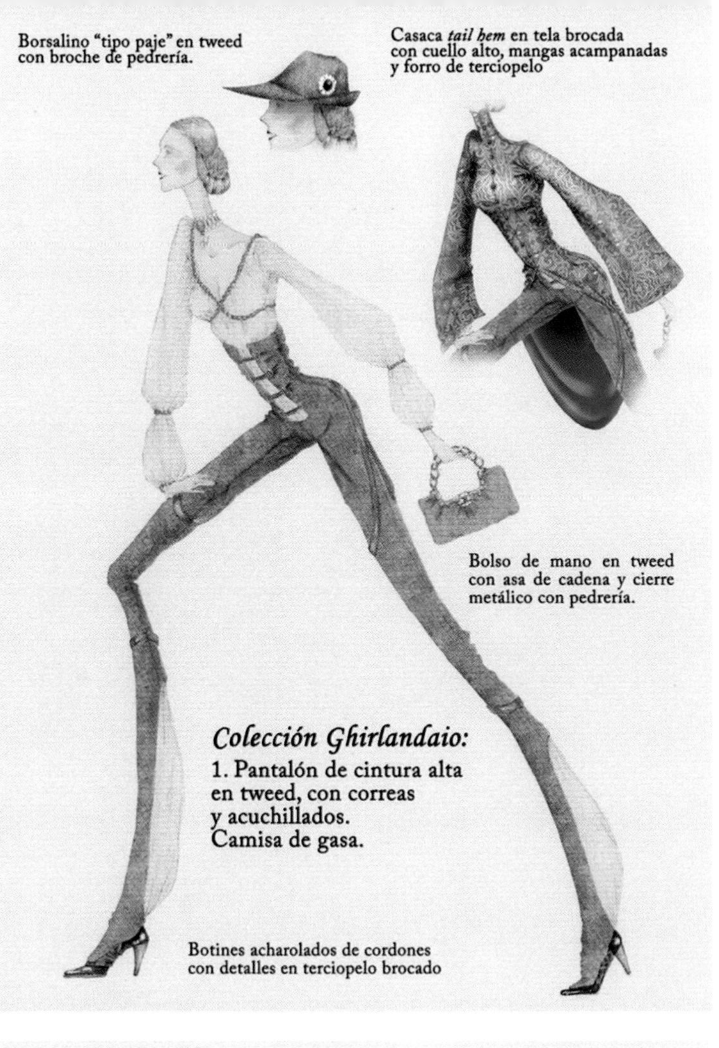
Borsalino "tipo paje" en tweed
con broche de pedrería.
Casaca *tail hem* en tela brocada
con cuello alto, mangas acampanadas
y forro de terciopelo
Bolso de mano en tweed
con asa de cadena y cierre
metálico con pedrería.
Colección Ghirlandaio:
1. Pantalón de cintura alta
en tweed, con correas
y acuchillados.
Camisa de gasa.
Botines acharolados de cordones
con detalles en terciopelo brocado

Colección Ghirlandaio:
4. Mini-vestido en
gasa y terciopelo brocado,
con gorguera y
correa decorativa.
Capa de tweed y tela brocada,
con botones-joya decorativos
y cierre de correas.
Cartera de tweed.
Botas altas forradas en
tweed, con correas decorativas
y tacón-escultura.

Colección Ghirlandaio:
3. Vestido *tail-hem* de gasa,
con correas en el cuerpo
y las mangas.
Chaqueta de tweed
con capucha y correas.
Detalle del corpiño
y las mangas caladas.
Maxi-bolso brocado con
aplicaciones en metal
dorado.
Botas de caña alta elastizada,
con tacón metálico.

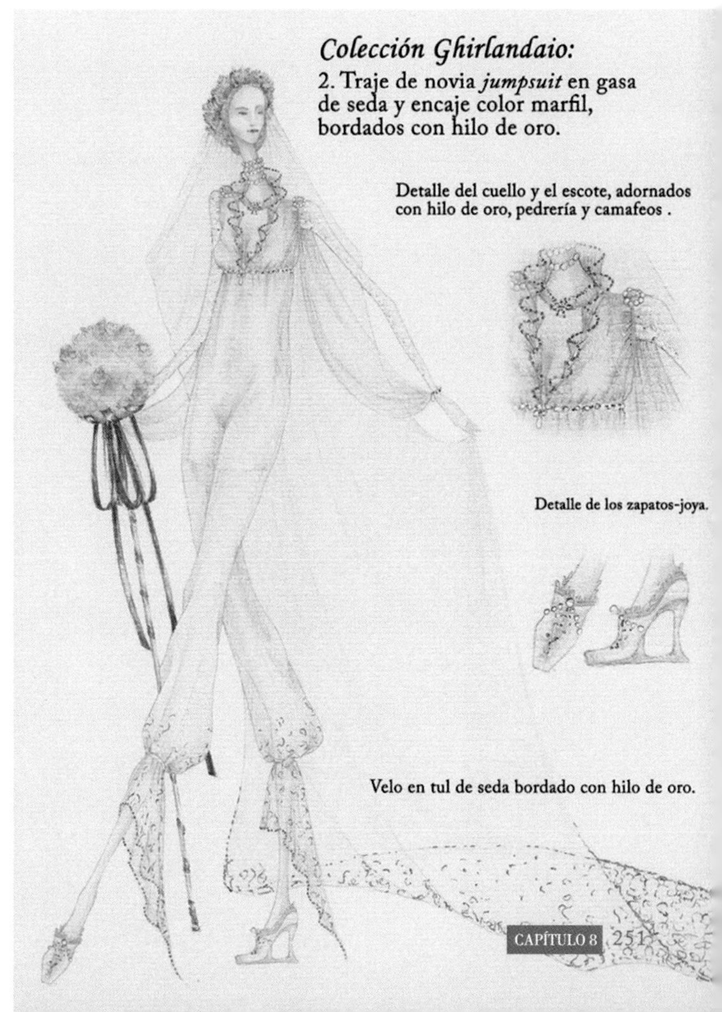
Colección Ghirlandaio:
2. Traje de novia *jumpsuit* en gasa
de seda y encaje color marfil,
bordados con hilo de oro.
Detalle del cuello y el escote, adornados
con hilo de oro, pedrería y camafeos .
Detalle de los zapatos-joya.
Velo en tul de seda bordado con hilo de oro.

CONSTANZA COHSÉ (CHILE)

La diseñadora de moda **Constanza Cohsé** (***www.constanzacohse.cl***) presentó a concurso varias colecciones de figurines, entre las cuales se seleccionó la colección titulada *Dulce Armonía*. La autora describe el proceso de creación de la misma a continuación: "Para esta colección de figurines utilice técnica tradicional y digital, primero bocetando con lápiz portaminas, realizando la postura y sombras acompañada de lápiz difuminador, luego utilicé acuarelas para pintar las telas y ornamentos, aplicando también *collage* (telas y mostacillas). Para las sombras del vestuario utilicé lápices polychromos y para colorear el rostro utilicé maquillaje (sombras) y después realicé los detalles finales con lápiz tiralíneas en color negro; una vez escaneados los convertí a formato .tiff utilizando las herramientas de goma en distintos tamaños y varita mágica para crear una presentación con 5 figurines en el programa Adobe Photoshop. Retoqué algunos detalles como los globos, adornos florales y cabello en el programa Paint Tool Sai con las herramientas de brush y pen en distintos tamaños y grados de saturación del color.

CRISTINA ALONSO (ESPAÑA)

La ilustradora **Cristina Alonso** (***www.cristinalonso.com***) presentó a la categoría 1 del Concurso la ilustración titulada *Royal Couture*, ilustración que la propia autora describe a continuación: esta ilustración de moda rescata algunos de los ecos más bellos del mundo animal y los transforma en seda, satén y delicadas plumas. Una propuesta clásica, majestuosa y a su vez repleta de frescura. Realizada en técnicas mixtas; esta ilustración combina el acabado tradicional y cálido de los grafitos, las tintas y las acuarelas, con la potencia de las nuevas tecnologías: enriquecimiento digital mediante el editor Adobe Photoshop.

Figura 8.20. Colección de figurines Dulce **Armonía de Constanza Cohsé.**

Figura 8.21. Ilustración de moda creada por **Cristina Alonso** (***www.cristinalonso.com***).

DIA PACHECO (MÉXICO)

La ilustradora y diseñadora **Dia Pacheco** (***www.behance.net/DiaPacheco***) presentó a concurso una colección de figurines llena de movimiento, inspirada en la tendencia metálica. La autora describe el proceso de creación de la misma: "La técnica utilizada para realizar los figurines fue mixta. Utilizando lápiz h2 para bocetar y un lapicero con puntillas hb para darle calidad de línea y sombrados. Después digitalicé la imagen para después limpiar la imagen en Adobe Photoshop. Dándole color y luces, para simular las texturas y los destellos metálicos de las prendas ilustradas."

ESTEBAN GARCÍA (COLOMBIA)

El ilustrador **Esteban García** (***www.facebook.com/EstebanGarciaIllustrations***) presentó a concurso diversos figurines, entre los cuales se seleccionó el conjunto de figurines titulado *Best friends*. El autor lo describe a continuación: "Mis ilustraciones se basan principalmente en la desproporción y exageración de algunas partes del cuerpo. Las piernas se hacen más largas de lo normal, por lo tanto la ilustración se hace más estilizada ya que su abdomen se hace más corto; lo mismo sucede con su cuello al ser más largo estiliza más la figura. Para realizar mis ilustraciones utilizo principalmente colores y ecolines (acuarelas líquidas). Tras escanearlas, edito el contraste y el brillo en editores de imágenes on-line.

Figura 8.22. **Colección de figurines ilustrados por Esteban García.**

Figurín 1. Largo Metálico Categoría No. 3 Dia Pacheco Figurín 2. Bronce Categoría No. 3 Dia Pacheco

Figura 8.23. Colección de figurines creada por **Dia Pacheco.**

FANY DÍAZ (ESPAÑA)

La diseñadora de moda **Fany Díaz** (***http://fanydiazardao.blogspot.com.es***) presentó a concurso el figurín *Printemps* perteneciente a la colección *Les fleurs*, inspirada en el desarrollo de una flor y creado para un concurso de moda nupcial. La autora del mismo describe el proceso de creación a continuación:

"En primer lugar realizo el boceto a mano, lo escaneo y lo abro con el programa CorelDraw. Con la herramienta de dibujo Curva de 3 puntos creo el dibujo, cerrando cada elemento para posteriormente poder rellenarlo con el color deseado. Cuando finalizo este proceso lo exporto a formato .tiff y lo abro con Adobe Photoshop donde realizo todos los detalles del figurín. Uso las herramientas sobreexponer y subexponer, para dar luces y sombras a la piel y a los tejidos. El maquillaje lo hago con la herramienta Pincel circular difuso variando la opacidad y los tejidos transparentes al igual que las sombras del figurín los realizo variando la opacidad de las diferentes capas en las opciones de fusión."

Figura 8.24. Figurín creado por la diseñadora de moda **Fany Díaz.**

GUILLERMO LUGO (MÉXICO)

El diseñador **Guillermo Lugo** (***www.guillermolugothron.com***) presentó a la categoría 3 del Concurso la colección de figurines titulada *Muses*, ilustración que el propio autor describe a continuación: "Este es un dibujo hecho a mano sin digitalización. Me gusta la limpieza y la pureza del blanco y negro, pero también de las líneas encontradas y garabatos sin pensar que a su vez hacen formas bellas y únicas. Preferí entintar el dibujo solamente para que cada uno imaginariamente pueda poner el color deseado."

Figura 8.25. **Colección de figurines de particulares proporciones creada por Guillermo Lugo.**

HORACIO REYNOSO (ARGENTINA)

El diseñador de moda **Horacio Reynoso** (*psix87@hotmail.com*) presentó a la categoría nº 3 del Concurso la colección de figurines digitales titulada *Plañideras* cuyo concepto parte de las plañideras mujeres que van a llorar a los velorios, planteándolo en un entorno de estilo victoriano. La composición se realizó en formato vectorial con el programa Adobe Illustrator, utilizando entre otras, las herramientas máscara de recorte, mallas, opacidad, etc.

Figura 8.26. Colección de figurines en formato vectorial creada por **Horacio Reynoso.**

IRENE FERNÁNDEZ (ESPAÑA)

La diseñadora de moda **Irene Fernández** (***irenefernandez601@gmail.com***) participó en el concurso en la colección de figurines que describe a continuación. "Las ilustraciones presentadas forman parte de un proyecto de moda de creación propia, inspirado en las formas y colores de los peces con el título: –*Estructuras plegables y articuladas en el fondo marino*–.Las ilustraciones reflejan los modelos creados para dicha colección mediante las técnicas de lápiz y tempera, tanto de forma individual como combinada, a través de ilustración tradicional."

Figura 8.27. Diseños inspirados en el fondo marino creados por **Irene Fernández.**

JEYZAR DAGAM (ESPAÑA)

El diseñador e ilustrador de moda de origen filipino **Jeyzar Dagam** (*www.jeyzar–da.com*), presentó a concurso varios figurines de los cuales se seleccionó el figurín inspirado en los cuadros de santas del pintor **Zurbarán**. El diseño que muestra el figurín se confeccionó para un desfile de moda homenaje a las santas. Para realizar la ilustración el autor utilizó rotuladores *Promarker*, *Posca* y lápices acuarelables.

JOSÉ MOLINA (ESPAÑA)

El diseñador e ilustrador **José Molina** (*www.josemolinarosillo.blogspot.com*) presentó a concurso varias ilustraciones inspiradas en la colección otoño/invierno de *Dolce & Gabbana*, entre las que se seleccionó el figurín que mejor representaba la temporada. Para su realización el autor utilizó técnicas de dibujo tradicionales: un encaje a lápiz HB, B, pintado con técnica mixta utilizando acuarelas, lápices de colores, rotuladores y gouaches, específicamente en aquellas zonas en las que era más adecuada la utilización de una u otra técnica.

Figura 8.28. Ilustración de moda otoño/invierno creada por **José Molina**.

Figura 8.29. Diseño de moda creado por **Jeyzar Dagam.**

LAURA LAPARRA (ESPAÑA)

La ilustradora Laura Laparra Gascó (***http://losdibusdelaure.blogspot.com***) presentó a concurso varios figurines estilizados de proporciones singulares, de los cuales se seleccionó el figurín titulado *Estallido primaveral*. La autora dibujó el figurín a mano, utilizando la técnica mixta (acuarela, lápiz de color y rotulador). Posteriormente lo escaneó para retocarlo infográficamente con el programa Adobe Photoshop.

Figura 8.30. Figurín de singulares proporciones creado por **Laura Laparra**.

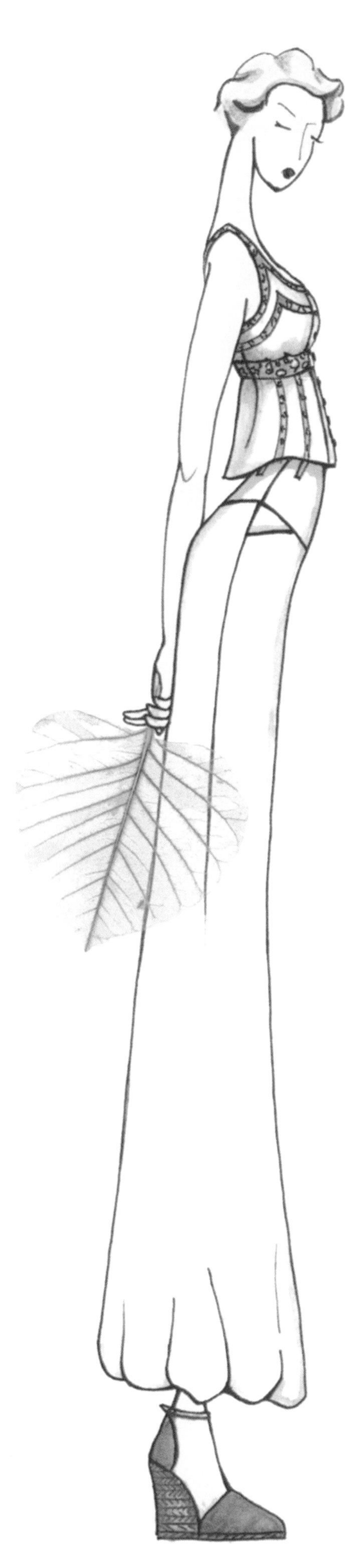

Mª JOSÉ MARTÍNEZ (ESPAÑA)

La diseñadora Mª José Martínez Hoyos (*fashiontcs@gmail.com*) presentó a concurso varios diseños de moda. En estas páginas se muestra su figurín titulado *The de Bombay* que pertenece a una colección de faldas de la marca alicantina *Tal Com Soc*, con diseños de ambiente colonial, en tejidos naturales y tonos claros. Está dibujado a mano con rotuladores *Pantone*, usando tonos muy claros y tratados como si fuera una acuarela para conseguir cierto aire nostálgico. El *pay-pay* se hizo a partir de una hoja escaneada y tratada con la herramienta borrador de fondos, del programa Adobe PhotoShop para darle la transparencia.

Figura 8.31. **Diseño de moda creado por Mª José Martínez para *Tal Com Soc.***

MARIANA NAZARETH ROJAS (MÉXICO)

La diseñadora e ilustradora Nazareth Rojas (*http://nazarethrojas.daportfolio.com*) presentó bajo la categoría 3 la colección de figurines titulada *Beetles can fly*, una ilustración que la propia autora describe a continuación: La mini colección está inspirada en el contraste de los exoesqueletos rígidos y de colores fuertes de los escarabajos, contra la suavidad y finura de las alas que se esconden bajo este. Al mismo tiempo, se ilustran trabajos de piteado, una artesanía de hace cientos de años, para fomentar un proyecto de conservación e información de la misma. Figurines realizados íntegramente en el programa Paint Tool Sai.

Figura 8.32. Mini colección de figurines digitales creados por Nazareth Rojas.

MERCEDES GALÁN (ESPAÑA)

La ilustradora de moda Mercedes Galán (*www.mercedesgalan.es*) presentó varios trabajos de ilustración a concurso, de entre los cuales se seleccionó el que lleva por título *Linda*. A continuación la propia autora lo describe: "Boceto hecho a lápiz en papel grueso, escaneado y trabajado en Adobe Photoshop. Aplicando la herramienta Pincel en distintos tamaños e intensidad y jugando con diversas tonalidades dentro de la misma gama tonal para el tejido. Este figurín va vestido con total look de John Galliano para *Dior* con prendas de diferentes temporadas. Con la cintura marcada o forma A, tan característica de la casa Dior y que Galliano usó en sus maravillosas creaciones. El rojo imprime fuerza en una silueta femenina pero a la vez potente, los pliegues y el volumen hacen resaltar aún más una estrecha cintura a su vez enmarcada con cinturón. Como modelo he tomado a Linda Evangelista como referente en homenaje a su increíble mirada."

Figura 8.33. Ilustración de moda con un figurín inspirado en la *top-model* **Linda Evangelista** creado por **Mercedes Galán**.

Figura 8.34. Figurín estilizado creado digitalmente por **Miguel Alejandro Rosales.**

MIGUEL ALEJANDRO ROSALES (EL SALVADOR C.A.)

El diseñador de moda Miguel Alejandro Rosales (***www.facebook.com/AlekRossDesigner***) presentó a concurso varios figurines digitales estilizados. A continuación, el propio autor describe las herramientas utilizadas para su creación: "La ilustración ha sido creada con el programa AutoDesk SketchBook Pro y una tableta digitalizadora Bamboo Create de WACOM. Para el desarrollo se han usando líneas de planteamiento para definir proporción y silueta con la herramienta de lápiz; mientras que para la línea final se recurrió a *LAPIZ4*. El color se aplicó en distintas capas (cada color por una capa) con la herramienta Marcador y el fondo se creó con la herramienta Salpicado Pintura 3."

REGINA VICENTE (ESPAÑA)

La diseñadora de moda Regina Vicente (***regina_vicente@hotmail.com***) envió a concurso varias colecciones de figurines, de las cuales se seleccionaron las tituladas *Japan Essence y White Chic*. La autora explica a continuación su proceso de creación: "Los figurines están realizados de forma tradicional. En primer lugar se han realizado los primeros bocetos a lápiz. El color de la piel y el pelo están realizados con rotuladores tipo *Copic*, se ha sombreado con lápices y pasteles. La vestimenta está coloreada con acuarelas y rotuladores. Para los contornos y detalles se han utilizado rotuladores de varios grosores. Finalmente para conseguir efectos de brillo en las prendas se han utilizado rotuladores metalizados."

Figura 8.35. Dos colecciones de moda creadas por la diseñadora **Regina Vicente**.

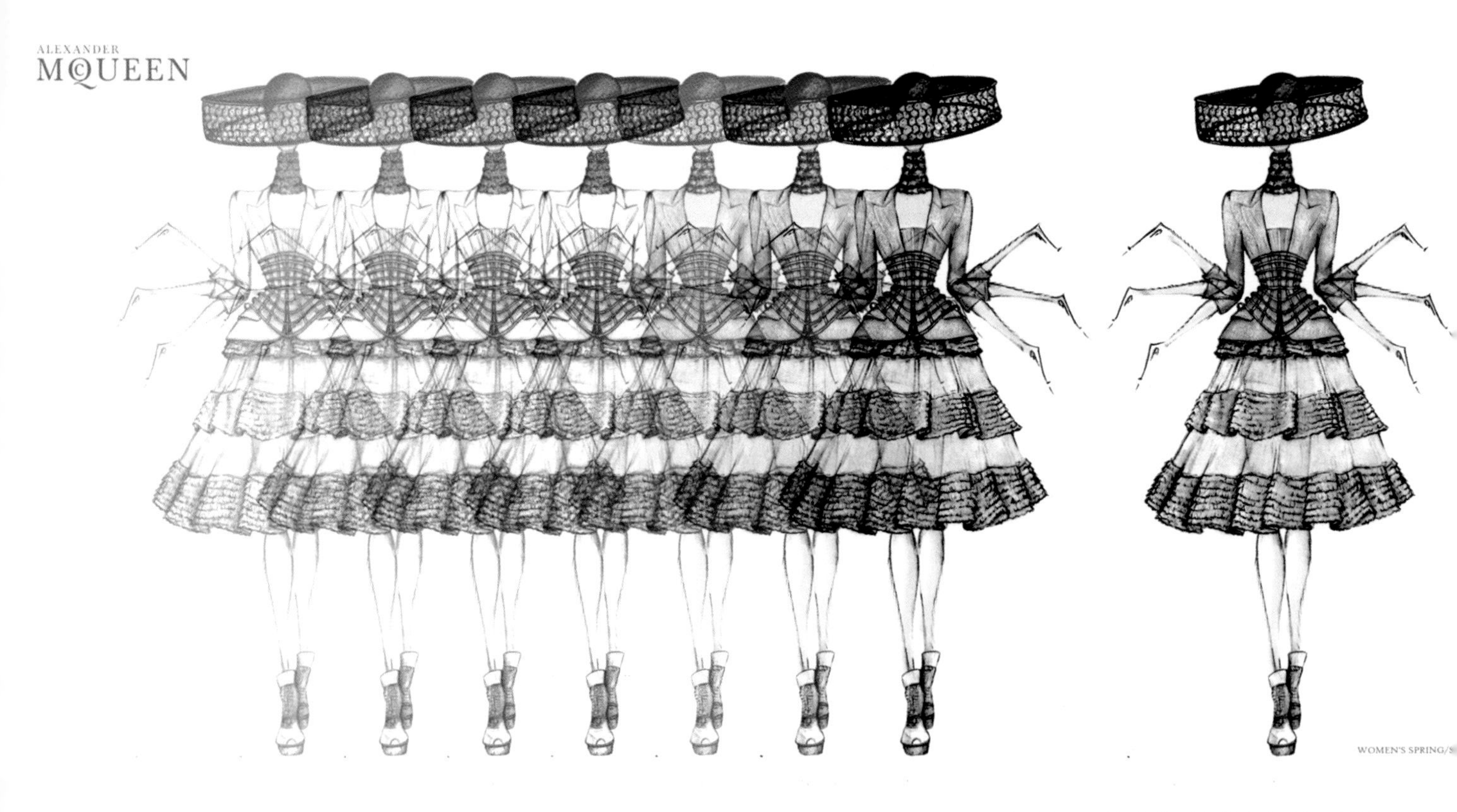

Figura 8.36. Figurín creativo creado con técnicas manuales y digitales por **Rocío Vergerio**.

ROCÍO VERGERIO (ARGENTINA)

La ilustradora de moda Rocío Vergerio (***http://rociovergerio.tumblr.com***) participó en el concurso con varios figurines estilizados que combinan las técnicas tradicionales con las digitales. Se seleccionó un figurín inspirado en la colección de Alexander McQueen 2013. Para su creación, la autora lo dibujó manualmente en grafito para después escanear el figurín base y retocarlo digitalmente en Adobe Photoshop, coloreándolo con pinceles y aplicando contraste, duplicado y superposición en transparencia.

ROXANA JAQUE (ARGENTINA)

La diseñadora de moda Roxana Jaque (***roxy_maravilla@hotmail.com***) presentó a concurso una colección de moda titulada *Metamorfosis*, inspirada en la novela de R.L. Stevenson, "*El extraño caso del Dr. Jekyll & Mr. Hyde*". La serie de figurines mostrados en distintas poses de frente y espalda, fueron creados con técnica manual. Los elementos utilizados fueron lápiz, microfibras, rotuladores y lápices acuarelables, sobre láminas de dibujo de 140 gramos.

DOPPELGÄNGER » METAMORFOSIS » COLECCIÓN COMPLETA FRENTE

DOPPELGÄNGER » METAMORFOSIS » COLECCIÓN COMPLETA ESPALDA

Figura 8.37. Colección de moda representada en una serie de figurines de frente y espalda creada por **Roxana Jaque.**

SANDRA CORONADO – ANDRA CORA (ESPAÑA)

La diseñadora Sandra Coronado (***http://andracora.tictail.com***) presentó a concurso varios figurines para el diseño de moda, creados para su propia firma *Andra Cora*. En estas páginas se muestran figurines de la colección *Circadiana*. La autora describe su proceso de creación:

"Se trata de una ilustración tradicional, dibujada y coloreada a mano. El soporte elegido fue papel acuarela 240 gr. de grano fino DIN A4. En cuanto a las técnicas utilizadas, el dibujo lineal base está ejecutado a mano alzada con lápiz de grafito; para aplicar el color, he escogido los lápices y rotuladores acuarelables de punta fina difuminando los trazos con pincel. Los ligeros brillos sobre la representación del tejido se han aplicado con lápiz pastel blanco."

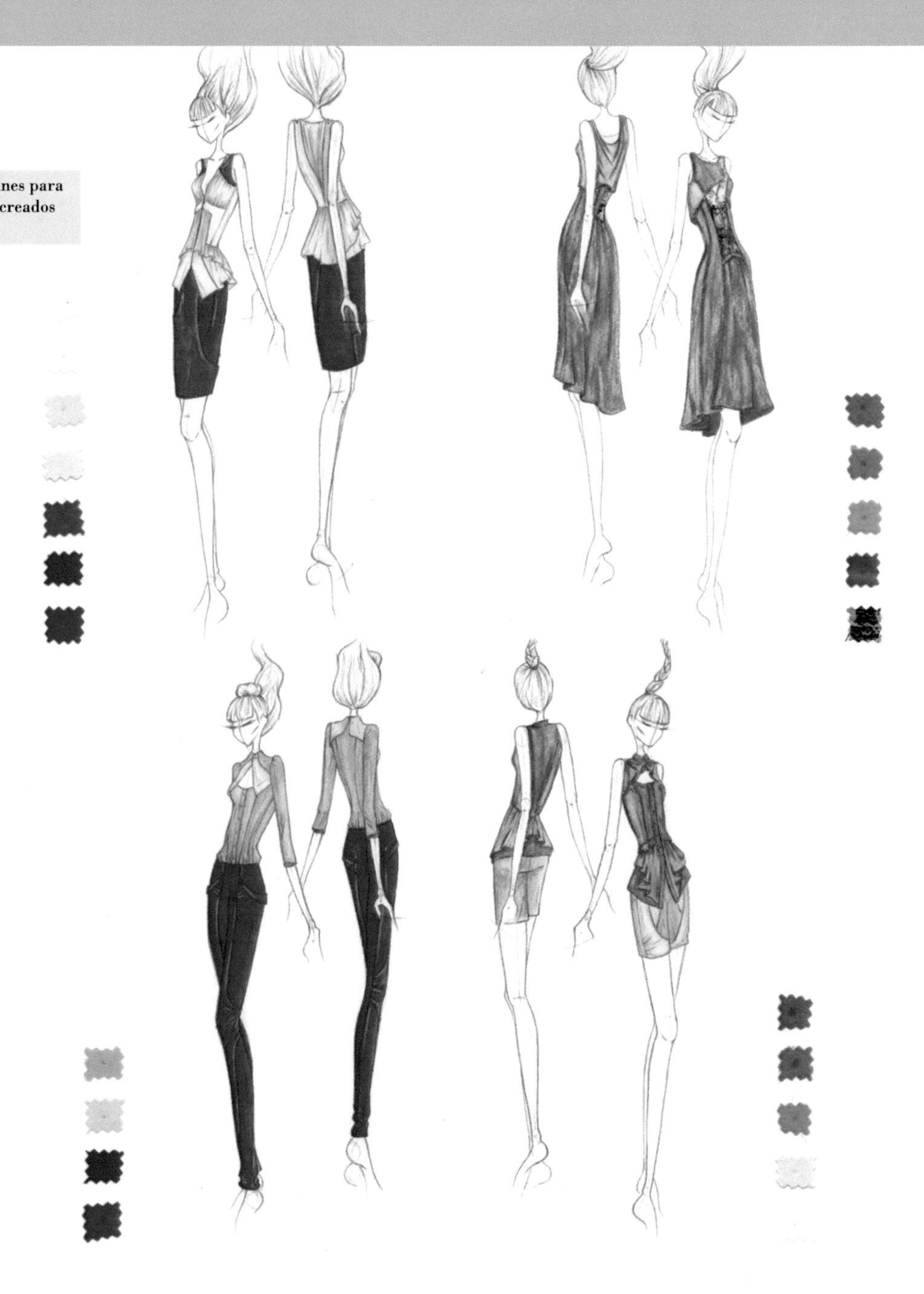

Figura 8.38. Colección de figurines para el diseño de moda creados por **Andra Cora**.

SUSANA GÓMEZ (ESPAÑA)

La diseñadora de moda Susana Gómez (***http://susanagmez.blogspot.com***) presentó a concurso la colección de figurines titulada *Bamboo collage*, a continuación es la propia autora quien describe dicha ilustración: "Mi proyecto está creado con técnica mixta, mezclando lo artesanal del lápiz y la parte digital del programa Adobe Photoshop. Para ello, he comenzado abocetando con lápiz H los figurines para seguidamente detallar cada vez más las formas y características de cada modelo con un lápiz 2B. Una vez terminada esta fase, las distintas ilustraciones han sido escaneadas y pasadas a Adobe Photoshop, utilizando la pluma para seleccionar las zonas donde he incluido el collage con imágenes reales de plantas de bambú, texturas varias: como el dorado y el corcho. Luego, para dar color a la ilustración, he jugado con la opacidad de los pinceles y a la vez con la opacidad y relleno de las capas. Además he cambiado a "multiplicar" la fusión de algunas de las capas."

Figura 8.38. Ilustración que combina técnicas de dibujo tradicionales con técnicas digitales, de **Susana Gómez**.

TOMYA MATEO (ALEMANIA)

La ilustradora Tomya Mateo (***www.tomyamateo.com***) participó en el concurso con una ilustración creada con fines editoriales para un *trend report* (reporte de tendencias) que ilustraba el trabajo de la diseñadora Mary Katrantzou. Una ilustración de moda creada para la empresa *The Hunt Report*. La técnica utilizada es mixta. Dibujo a lápiz de grafito y acuarela. Retocado en Adobe Photoshop.

Figura 8.40. Ilustración para un *trend report* creada por **Tomya Mateo** (*www.tomyamateo.com*).